#홈스쿨링
#혼자공부하기

똑똑한 하루 과학

Chunjae
Makes
Chunjae

똑똑한 하루 과학 5-2

편집개발	조진형, 구영희, 김현주, 김성원
디자인총괄	김희정
표지디자인	윤순미, 박민정
내지디자인	박희춘, 우혜림
본문 사진 제공	야외생물연구회, 셔터스톡
제작	황성진, 조규영

발행일	2021년 6월 1일 초판 2021년 6월 1일 1쇄
발행인	(주)천재교육
주소	서울시 금천구 가산로9길 54
신고번호	제2001-000018호
고객센터	1577-0902

※ 정답 분실 시에는 천재교육 홈페이지에서 내려받으세요.

※ KC 마크는 이 제품이 공통안전기준에 적합하였음을 의미합니다.

※ 주의

책 모서리에 다칠 수 있으니 주의하시기 바랍니다.

부주의로 인한 사고의 경우 책임지지 않습니다.

8세 미만의 어린이는 부모님의 관리가 필요합니다.

똑 똑 한

하루 과학

5-2

쉬운 용어 학습
교과 용어를 쉽게 설명하여
교과 이해력 향상!

재미있는 비주얼씽킹
만화, 사진으로
흥미로운 탐구 학습!

간편한 스케줄링
하루 6쪽, 주 5일, 4주 학습
한 학기 공부습관 완성!

똑똑한 하루 과학

어떤 책인지 알면 공부가 더 재미있어.

똑똑한 하루 과학 구성과 특징

핵심 용어

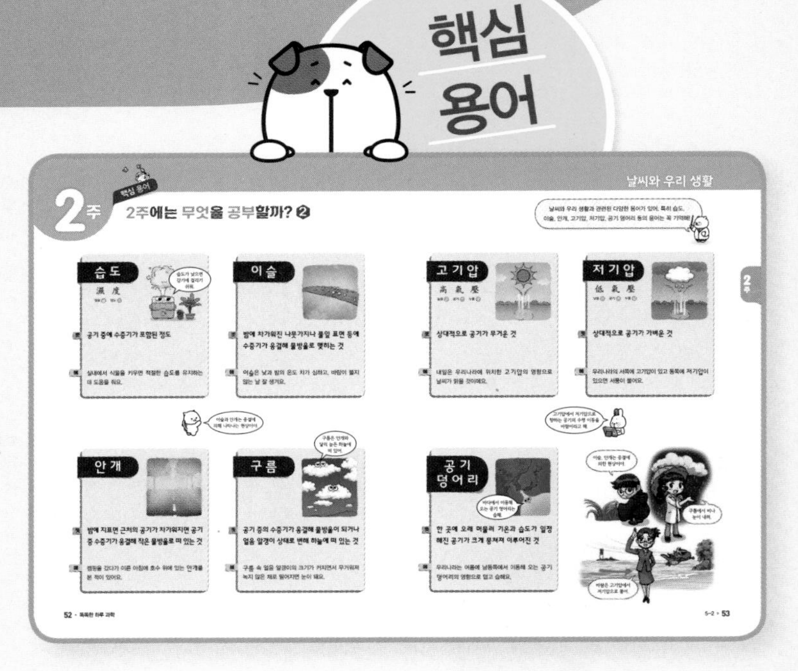

- 핵심 용어만 쏙!
- 한자와 예문으로 이해 쏙쏙!
- 그림으로 기억력 UP!

실험 동영상

빠른 정답 보기

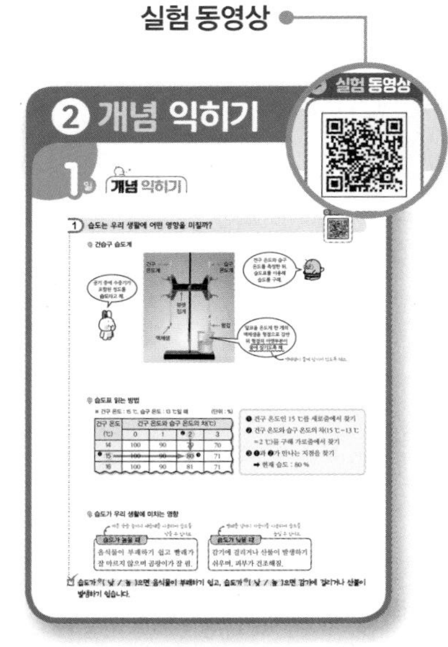

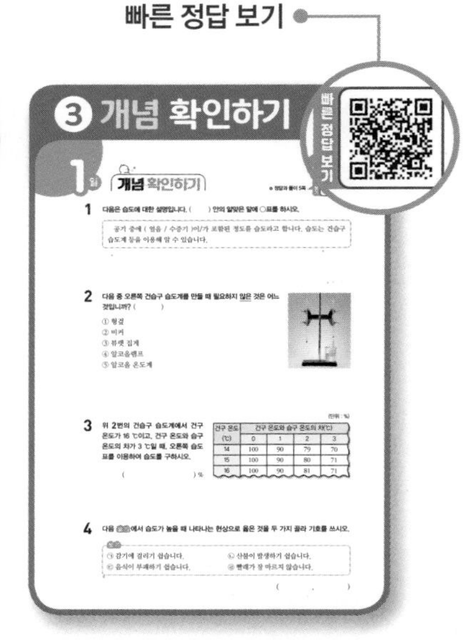

- '① 개념 만화 → ② 개념 익히기 → ③ 개념 확인하기' 3단계로 하루 학습
- 하루 6쪽, 4주면 한 학기 공부 끝!

① 핵심 개념

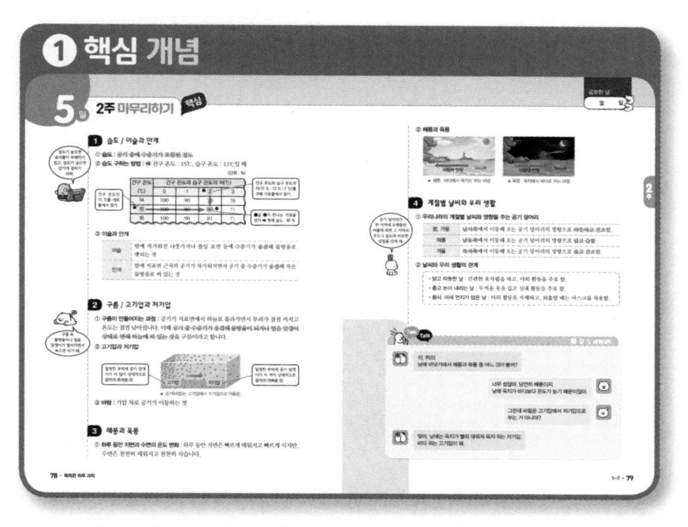

② 문제

· '① 핵심 개념 → ② 문제' 2단계로 하루 학습

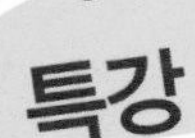

누구나 100점 TEST

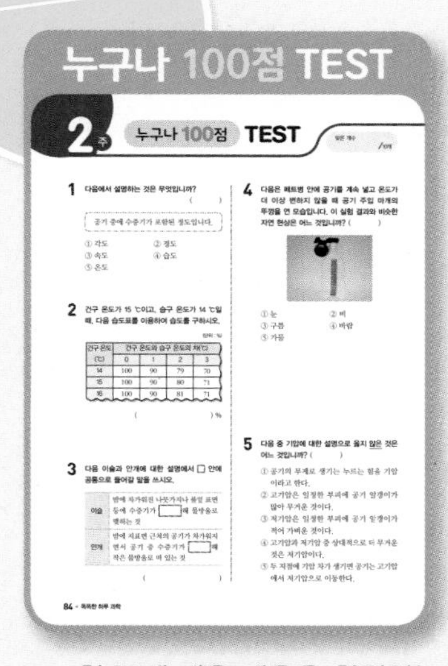

생활 속 과학/사고 쑥쑥/논리 탄탄

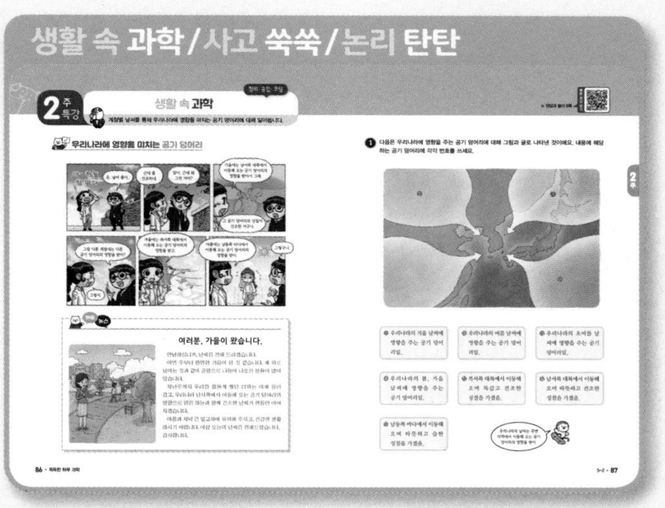

· 한 주에 배운 내용을 확인하는 누구나 100점 맞는 TEST
· 재미있고 새로운 유형의 특강으로 창의력, 사고력, 논리력 UP!

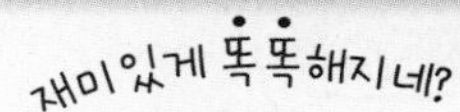

하루하루
조금씩 기초부터 쌓다 보면 어느새 자신감이 생겨.

똑똑한 하루 과학 **차례**

물체의 운동

산과 염기

똑똑한 하루 과학을 함께할 친구들

하디

마법에 푹 빠진
엉뚱한 소년

이지

깐깐한 성격의
과학 영재

매지카

비밀이 많은
선생님

동글새

마법 세계에서 온
반려동물

과학 탐구

1 탐구 문제 정하기

① 생활 용품의 작동 원리 알아보기 : 책이나 인터넷 등에서 찾아봅니다.

② 탐구 문제 정하기 : 작동 원리를 바탕으로 만들고 싶은 생활 용품을 선택하여 탐구 문제로 정합니다.

탐구 문제	예 1분을 측정하는 모래시계를 어떻게 만들 수 있을까?

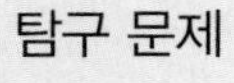

③ 탐구 문제 점검하기

2 탐구 계획 세우기

① 탐구 문제 해결 방법 정하기 : 탐구 문제를 해결하는 데 필요한 여러 가지 조건 중 만들고 싶은 작품에 맞는 조건을 정합니다.

② 탐구 계획 세우기

- 만들려는 작품을 그림으로 나타내 봅니다.
- 탐구 기간과 장소, 준비물, 탐구 순서, 역할 분담, 주의할 점 등이 들어간 탐구 계획을 세웁니다.

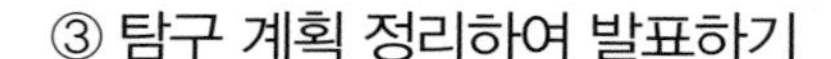

③ 탐구 계획 정리하여 발표하기

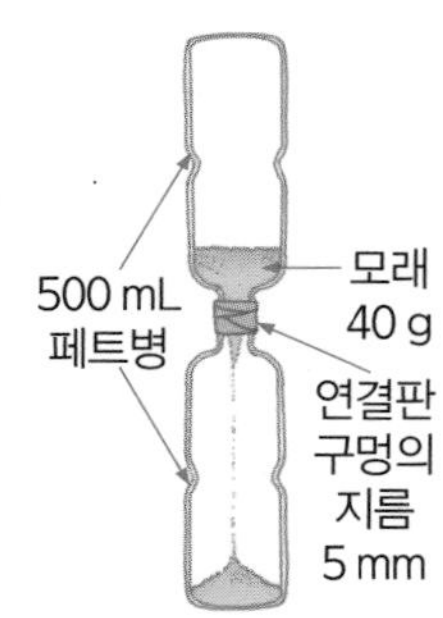

▲ 만들고 싶은 모래시계의 모습

3 탐구 실행하기

① 생활 작품 만들기 : 예 1분을 측정하는 모래시계 만들기

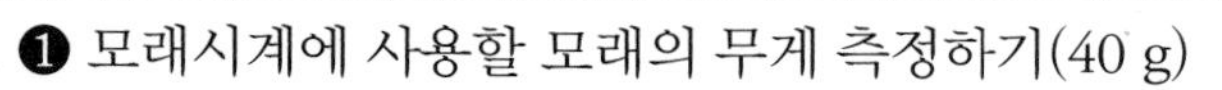

방법	❶ 모래시계에 사용할 모래의 무게 측정하기(40 g) ❷ 알맞은 크기의 구멍이 있는 모래시계 연결판 선택하기 ❸ 페트병 하나에 ❶의 모래를 넣고, ❷의 연결판을 병 입구에 붙이기 ❹ ❸의 페트병과 새로운 페트병을 연결하기 ❺ 초시계로 페트병 속 모래가 모두 떨어지는 데 걸리는 시간 측정하기 
정리	• 페트병 속 모래가 모두 떨어지는 데 걸리는 시간 : 10초 • 알게 된 점 : 모래가 페트병을 빠져나오는 데 걸리는 시간은 일정함.

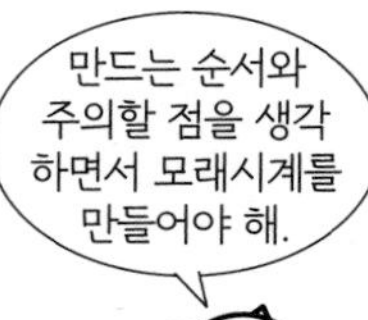

② 작품 점검하기 : 만든 작품이 탐구 문제를 해결할 수 있는지 확인합니다. ➡ 모래시계로 측정한 시간이 1분보다 짧아 탐구 문제를 해결할 수 없습니다.
③ 개선 방법 찾기 : 문제의 원인을 찾은 다음, 보완할 방법을 찾습니다.

모래가 40 g일 때 10초가 걸리므로, 1분(60초)을 측정하려면 40 g × 6 = 240 g의 모래가 필요해.

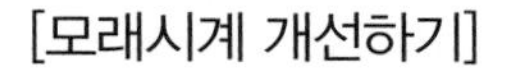
[모래시계 개선하기]
- 해결 방법 : 페트병에 넣는 모래의 양을 늘립니다.
- 예상한 모래의 양 : 240 g

④ 탐구를 하면서 알게 된 것 : 연결판 구멍의 지름이 5 mm인 페인트병에 모래 250 g을 넣으면 1분을 측정하는 모래시계를 만들 수 있습니다.
⑤ 탐구 결과 정리하기 : 탐구 과정과 결과를 바탕으로 탐구하여 알게 된 것을 정리합니다.

4 탐구 결과 발표하기

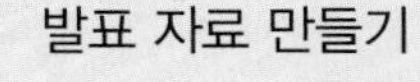

발표 방법 정하기	➡	발표 자료 만들기	➡	탐구 결과 발표하기
청각 설명, 포스터 발표, 전시회, 시연 · 시범, 손수 제작물[UCC] 등이 있음.		탐구 문제, 탐구 기간, 탐구 장소, 탐구한 사람, 준비물, 탐구 순서, 역할 분담, 탐구 결과 등이 들어가야 함.		중요한 내용만 간단하게 발표하고, 발표를 마친 다음 친구들의 질문에 대답함.

5 새로운 탐구 하기

① 주변 관찰하기 : 주변에 있는 생활용품을 관찰하고 어떤 과학 원리와 관련이 있는지 알아봅니다.
② 새로운 탐구 문제 정하기
③ 스스로 탐구하기

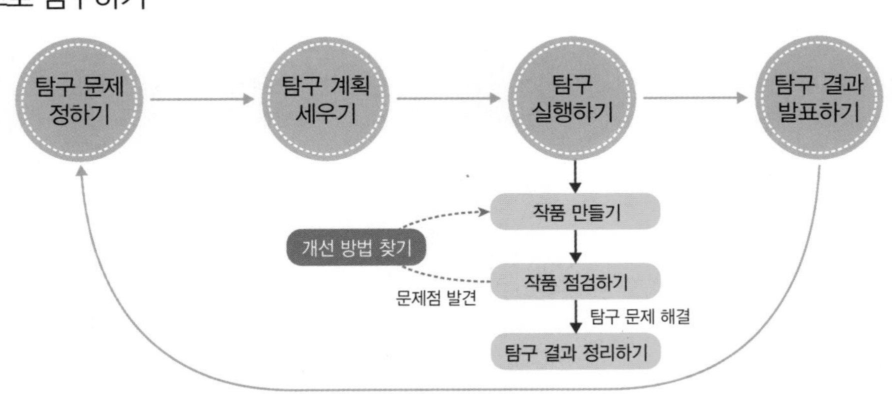

1주 생물과 환경

1주에는 무엇을 공부할까? 1

생물 요소

비생물 요소

생태계

생태계에서 살아 있는 것은 생물 요소, 살아 있지 않은 것은 비생물 요소라고 해요.

생물과 환경

생물의 먹이 관계

▲ 먹이 사슬

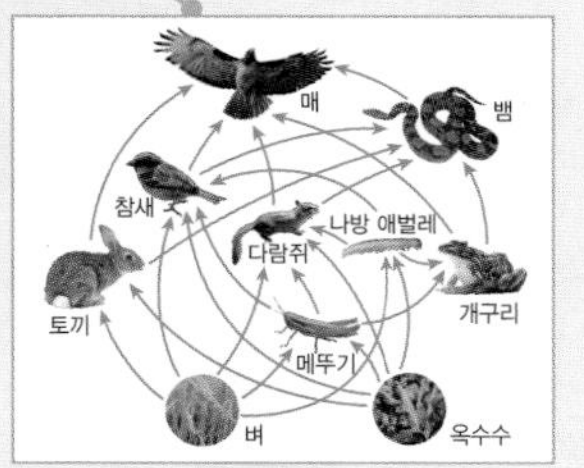

▲ 먹이 그물

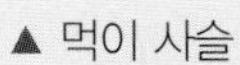

생태계 보전

▲ 나무 심기

▲ 쓰레기 분리배출 하기

환경이 오염되면 생물에게 해로운 영향을 주므로, 생태계를 보전하기 위해 모두 함께 노력해야 해.

생물은 주변 환경과 서로 영향을 주고받으며 살아간다는 것을 꼭 기억해.

1주 핵심 용어

1주에는 무엇을 공부할까? ❷

생태계

生 態 系

날 생 모양 태 이을 계

뜻 **어떤 장소에서 서로 영향을 주고받는 살아 있는 생물 요소와 살아 있지 않은 비생물 요소**

예 사막 **생태계**, 갯벌 생태계, 연못 생태계 등 지구에는 다양한 생태계가 있어요.

생산자

生 產 者

날 생 낳을 산 놈 자

뜻 **햇빛 등을 이용하여 살아가는 데 필요한 양분을 스스로 만드는 생물**

예 배추와 단풍나무는 스스로 양분을 만드는 **생산자**예요.

생태계의 생물 요소는 양분을 얻는 방법에 따라 생산자, 소비자, 분해자로 나눌 수 있어.

소비자

消 費 者

사라질 소 쓸 비 놈 자

뜻 **스스로 양분을 만들지 못하고 다른 생물을 먹이로 하여 살아가는 생물**

예 메뚜기, 토끼와 같이 생산자를 먹이로 하는 생물을 1차 **소비자**라고 해요.

분해자

分 解 者

나눌 분 풀 해 놈 자

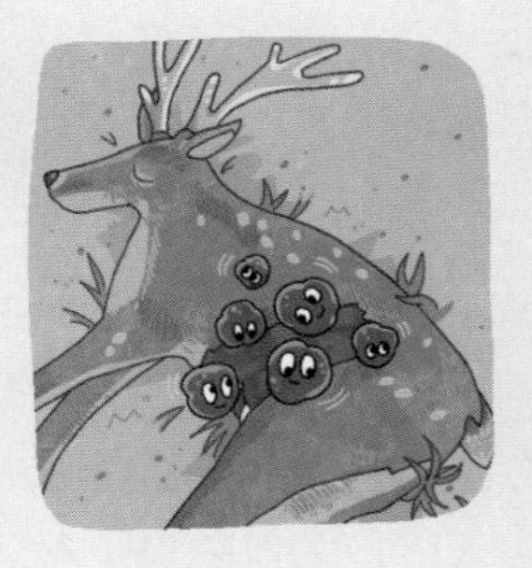

뜻 **주로 죽은 생물이나 배출물을 분해하여 양분을 얻는 생물**

예 생태계에 **분해자**가 없다면 우리 주변이 죽은 생물과 생물의 배출물로 가득 찰 거예요.

생물과 환경과 관련된 다양한 용어가 있어. 특히 생산자, 소비자, 분해자 등의 용어는 꼭 기억해!

1주

먹이 사슬

뜻 **생물의 먹이 관계가 사슬처럼 연결되어 있는 것**

예 **먹이 사슬**들이 서로 연결되어 복잡한 먹이 그물이 형성되어요.

먹이 그물

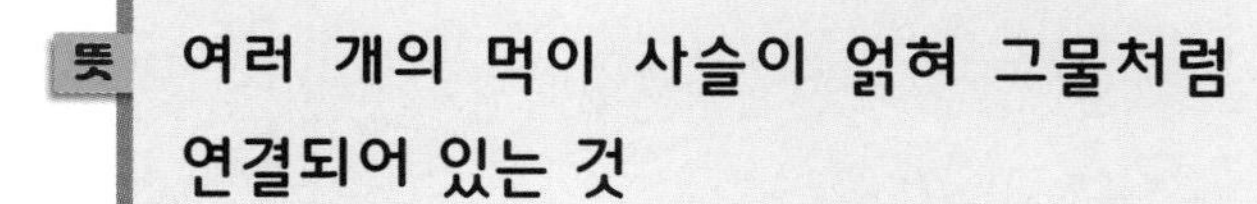

뜻 **여러 개의 먹이 사슬이 얽혀 그물처럼 연결되어 있는 것**

예 **먹이 그물**은 생물 사이의 먹고 먹히는 관계가 여러 방향으로 연결되어 있어요.

생물은 생김새와 생활 방식 등을 통하여 환경에 적응돼.

적응

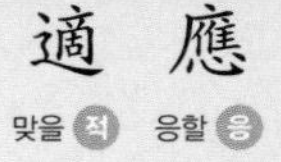

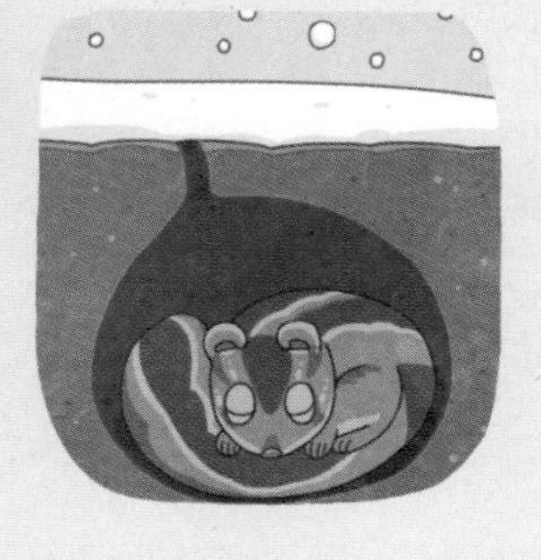

뜻 **특정한 서식지에서 오랜 기간에 걸쳐 살아남기에 유리한 특징이 자손에게 전달되는 것**

예 다람쥐는 겨울잠을 자는 행동을 통해 추운 겨울을 지내기 유리하게 **적응**되었어요.

1일 생태계

마법 세계가 있다고?

용어 체크

생태계

어떤 장소에서 서로 영향을 주고받는 살아 있는 생물 요소와 살아 있지 않은 비생물 요소

예 공장이 들어오면서 ❶ [   ] 가 파괴되기 시작했다.

▲ 어항 생태계

정답 ❶ 예 생태계

알에서 깨어나온 소비자는 과연 누구?

용어 체크

생산자
햇빛 등을 이용하여 살아가는 데 필요한 양분을 스스로 만드는 생물

소비자
스스로 양분을 만들지 못하고 다른 생물을 먹이로 하여 살아가는 생물

분해자
주로 죽은 생물이나 배출물을 분해하여 양분을 얻는 생물

예 민들레는 생태계의 생물 요소 중 ❶ [   ] 에 해당한다.

정답 ❶ 생산자

1일 개념 익히기

1 생태계란 무엇일까?

어떤 장소에서 서로 영향을 주고받는 생물 요소와 ❶(비생물 요소 / 균류)를 생태계라고 합니다.

2 생물 요소와 비생물 요소는 서로 어떤 영향을 주고받을까?

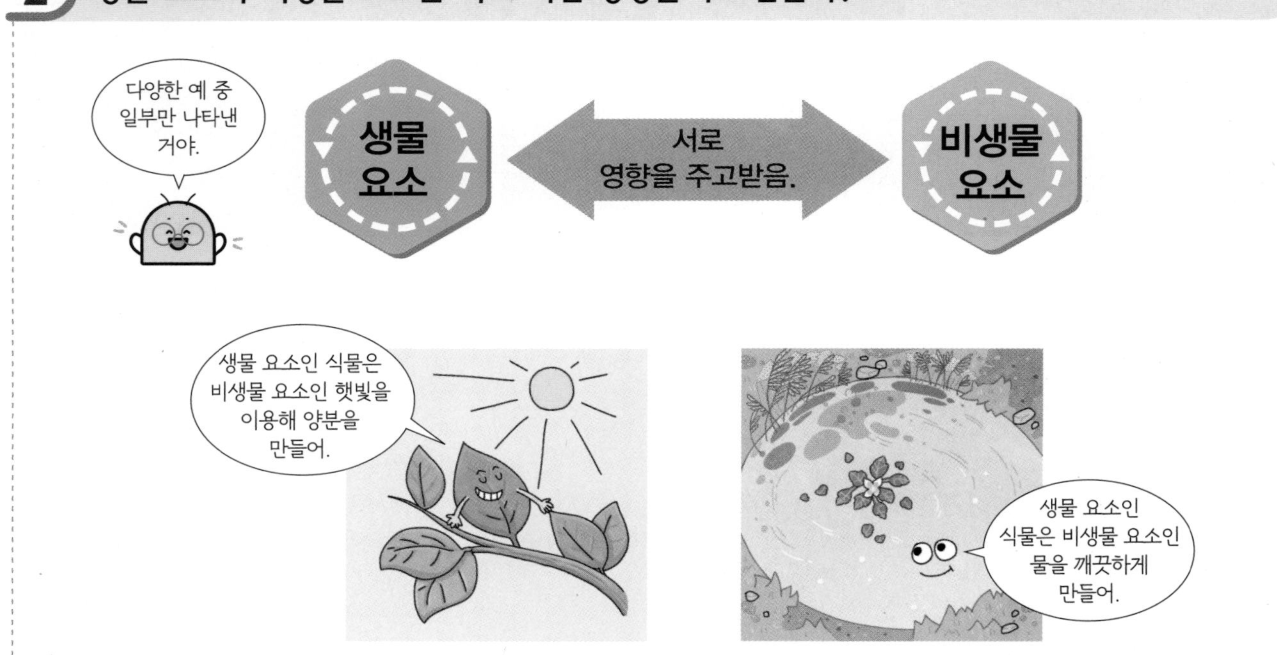

생태계에서 생물 요소와 비생물 요소는 서로 영향을 ❷(주고받습니다 / 주고받지 않습니다).

3 생태계의 생물 요소를 양분을 얻는 방법에 따라 분류해 볼까?

생물 요소의 분류

양분을 얻는 방법에 따라 **생산자, 소비자, 분해자**로 분류할 수 있음.

생산자

풀이나 나무처럼 햇빛 등을 이용해 살아가는 데 필요한 양분을 스스로 만드는 생물

소비자

동물처럼 스스로 양분을 만들지 못하고 다른 생물을 먹이로 하여 살아가는 생물

분해자

버섯, 곰팡이, 세균처럼 주로 죽은 생물이나 배출물을 분해하여 양분을 얻는 생물

생물 요소는 양분을 얻는 방법에 따라 생산자, ❸(운반자 / 소비자), 분해자로 분류합니다.

정답 ❶ 비생물 요소 ❷ 주고받습니다 ❸ 소비자

개념 체크

정답과 풀이 1쪽

1 생태계에서 살아 있는 것은 ☐☐ 요소라고 합니다.

2 생태계에서 햇빛은 ☐☐☐ 요소에 속합니다.

3 생산자는 살아가는 데 필요한 ☐☐을 스스로 만듭니다.

보기
- 양분
- 비생물
- 생물
- 반생물

개념 확인하기

정답과 풀이 1쪽

1 다음을 생태계의 구성 요소에 대한 설명에 맞게 줄로 바르게 이으시오.

(1) 생물 요소 •　　　　• ㉠ 살아 있는 것

(2) 비생물 요소 •　　　　• ㉡ 살아 있지 않은 것

2 다음 중 생물 요소가 아닌 것은 어느 것입니까? (　　　　)

① 
▲ 다람쥐

② 
▲ 햇빛

③ 
▲ 버섯

④ 
▲ 강아지풀

3 다음 보기에서 생태계에서 생물 요소와 비생물 요소의 관계에 대한 설명으로 옳은 것을 골라 기호를 쓰시오.

보기
㉠ 비생물 요소만 생물 요소에 영향을 줍니다.
㉡ 비생물 요소는 생물 요소에 영향을 주지 못합니다.
㉢ 생물 요소와 비생물 요소는 서로 영향을 주고받습니다.

(　　　　　　　　)

4 다음 중 생물 요소를 생산자, 소비자, 분해자로 분류하는 기준으로 옳은 것은 어느 것입니까? (　　　　)

① 사는 곳　② 다리의 수　③ 털의 있고 없음
④ 날개의 있고 없음　⑤ 양분을 얻는 방법

5 다음은 소비자에 대한 설명입니다. □ 안에 들어갈 알맞은 말을 쓰시오.

> 스스로 양분을 만들지 못하고 □ 을/를 먹이로 하여 살아가는 생물을 소비자라고 합니다.

( )

6 다음의 생물 요소는 생산자, 소비자, 분해자 중 무엇에 해당하는지 쓰시오.

▲ 세균

▲ 곰팡이

▲ 버섯

( )

똑똑한 하루 퀴즈

7 다음 □ 안에 들어갈 알맞은 낱말을 말 상자에서 찾아 모두 ○표를 하세요. 말 상자의 낱말은 가로, 세로, 대각선에 숨어 있어요.

난	색	양	분
생	★	털	해
태	산	판	★
계	곡	자	석
★	선	유	기

1. 어떤 장소에서 서로 영향을 주고받는 생물 요소와 비생물 요소를 □□□라고 함.
2. 생물 요소는 □□을 얻는 방법에 따라 생산자, 소비자, 분해자로 분류함.
3. 생물 요소 중 필요한 양분을 스스로 만드는 생물을 □□□라고 함.

2일 생물의 먹이 관계 / 생태계 평형

새로운 생물의 정체를 알아보자!

용어 체크

먹이 사슬

생물의 먹이 관계가 사슬처럼 연결되어 있는 것

예 먹이 ❶ ______ 은 생물 사이의 먹고 먹히는 관계가 한 방향으로만 연결되어 있다.

먹이 그물

여러 개의 먹이 사슬이 얽혀 그물처럼 연결되어 있는 것

예 먹이 사슬보다 먹이 ❷ ______ 이 여러 생물들이 함께 살아가기에 유리한 먹이 관계이다.

정답 ❶ 사슬 ❷ 그물

생태계 평형을 지켜야 해!

용어 체크

생태계 평형

어떤 지역에 살고 있는 생물의 종류와 수 또는 양이 균형을 이루며 안정된 상태를 유지하는 것

平	衡
평평할 평	저울대 형

예 특정 생물의 수나 양이 갑자기 늘거나 줄어들면 생태계 ❶ ______ 이 깨지기도 한다.

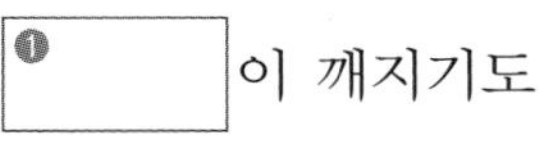

정답 ❶ 평형

2일 개념 익히기

1 생태계를 구성하는 생물의 먹이 관계를 알아볼까?

먹이 사슬

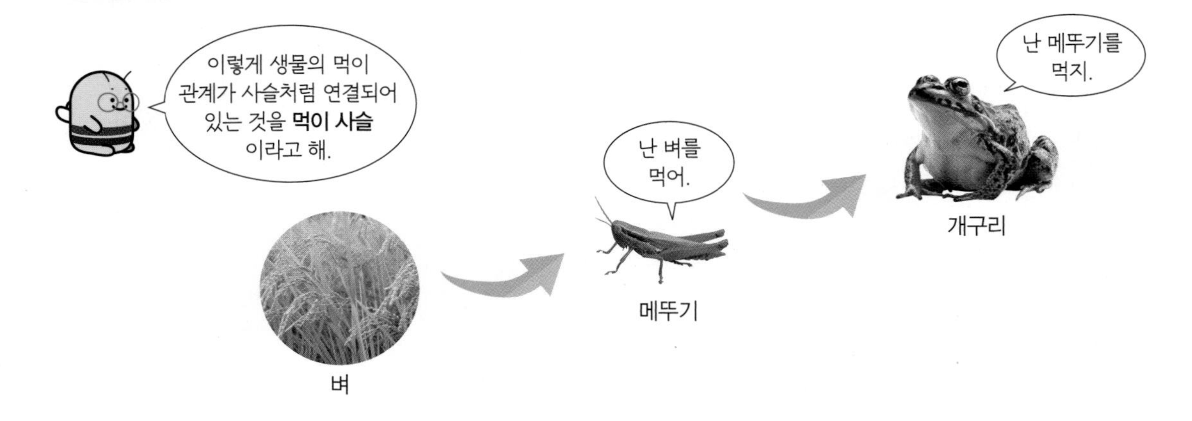

먹이 그물

실제 생태계에서 생물은 여러 생물을 먹이로 하고 여러 생물에게 잡아먹힘.

따라서 생물 사이의 먹고 먹히는 관계가 얽혀서 복잡한 형태로 나타남.

생물의 먹이 관계가 사슬처럼 연결되어 있는 것을 먹이 ❶(사슬 / 그물)이라고 합니다.

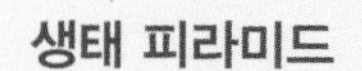

2 생태계는 어떻게 유지되는지 알아볼까?

생태 피라미드
먹이 단계에 따라 생물의 수나 양을 피라미드 형태로 표현한 것

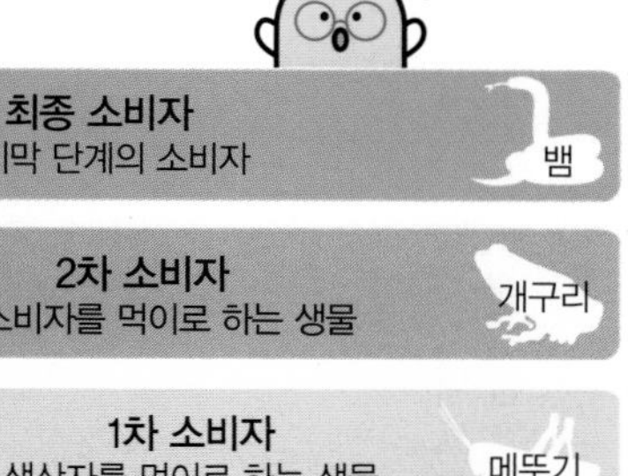

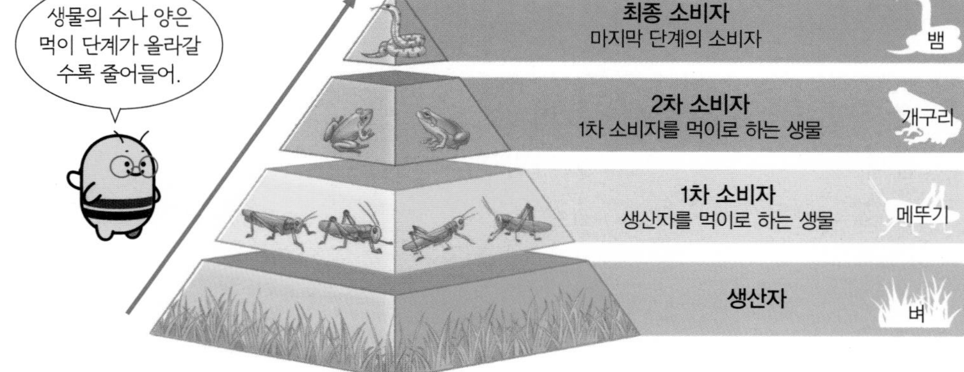

생태계 평형
어떤 지역에 살고 있는 생물의 종류와 수 또는 양이 균형을 이루며 안정된 상태를 유지하는 것

생태계 평형이 깨지는 원인
- 자연적인 원인 : 가뭄, 홍수, 태풍, 지진 등
- 인위적인 요인 : 댐이나 건물, 도로 건설 등

어떤 지역에 살고 있는 생물의 종류와 수 또는 양이 균형을 이루며 안정된 상태를 유지하는 것을 생태계 ❷(파괴 / 평형)(이)라고 합니다.

정답 ❶ 사슬 ❷ 평형

개념 체크

정답과 풀이 1쪽

1 먹이 ☐☐은 먹이 관계가 여러 방향으로 연결되어 있습니다.

2 생산자를 먹이로 하는 생물을 ☐☐ 소비자라고 합니다.

3 가뭄이나 건물 건설 등으로 생태계 ☐☐이 깨질 수 있습니다.

보기
- 그물
- 사슬
- 1차
- 2차
- 오염
- 평형

개념 확인하기

정답과 풀이 1쪽

1 다음은 생물의 먹이 관계를 나타낸 것입니다. 빈 곳에 들어갈 알맞은 생물은 어느 것입니까? ( )

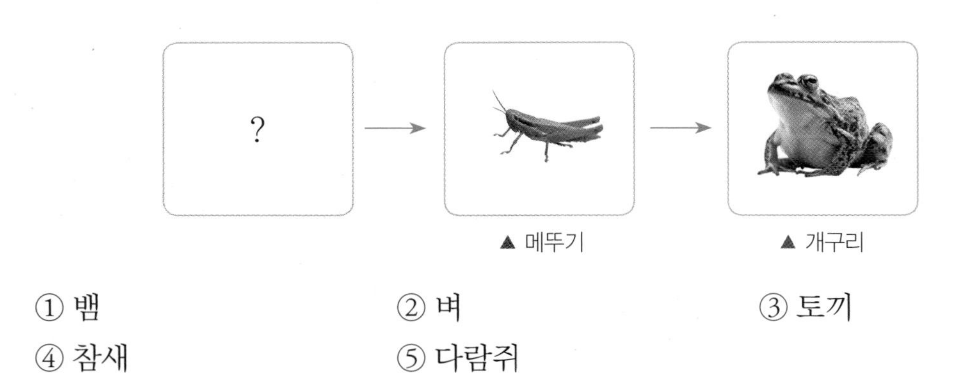

① 뱀 ② 벼 ③ 토끼
④ 참새 ⑤ 다람쥐

2 다음은 생태계를 구성하는 생물의 먹이 관계를 나타내는 말입니다. □ 안에 공통으로 들어갈 말을 쓰시오.

> 생물의 먹이 관계가 □ 처럼 연결되어 있는 것을 먹이 □(이)라고 하며, 여러 개의 먹이 □ 이/가 얽혀 그물처럼 연결되어 있는 것을 먹이 그물이라고 합니다.

( )

3 다음 먹이 그물의 모습을 보고 알 수 있는 내용으로 옳은 것을 보기 에서 골라 기호를 쓰시오.

보기
㉠ 뱀은 토끼만 잡아먹습니다.
㉡ 개구리의 먹이는 한 가지입니다.
㉢ 먹이 그물은 먹이 관계가 여러 방향으로 연결되어 있습니다.

( )

4 다음 중 생태계 평형에 대한 설명으로 옳은 것을 두 가지 고르시오. (　　　,　　　)

① 생태계 평형은 어떠한 일이 있어도 깨지지 않는다.
② 홍수나 산불과 같은 자연 현상은 생태계 평형을 깨뜨리지 않는다.
③ 깨진 생태계 평형을 회복하는 데에는 오랜 시간이 걸리지 않는다.
④ 가뭄을 견디지 못한 특정한 생물이 사라지면 생태계 평형이 깨질 수 있다.
⑤ 어떤 지역에 살고 있는 생물의 종류와 수 또는 양이 균형을 이루며 안정된 상태를 유지하는 것이다.

집중 연습 문제 생태 피라미드

5 다음의 생태 피라미드에서 2차 소비자에 해당하는 것을 골라 기호를 쓰시오.

(　　　　　　　　)

6 위 **5**번의 생태 피라미드에서 각 단계에 해당하는 생물의 수 또는 양을 바르게 비교한 것을 골라 기호를 쓰시오.

㉠ (가) < (나) < (다) < (라)	㉡ (가) > (나) > (다) > (라)
㉢ (가) < (나) < (라) < (다)	㉣ (가) = (나) = (다) = (라)

(　　　　　　　　)

생물의 수나 양은
먹이 단계가 올라갈수록
[　　　　] 들어.

3일 비생물 요소가 생물에 미치는 영향 / 적응

동글새가 희귀한 철새라고?

용어 체크

철새

알을 낳아 새끼를 기르는 번식지와 추운 겨울을 나는 곳이 따로 정해져 있어 계절에 따라 옮겨 다니며 사는 새

예 습지에는 새의 먹이가 될 만한 것이 많아 매년 ❶ (   ) 가 많이 찾아 온다.

▲ 서산 천수만에 날아든 철새

정답 ❶ 철새

동글새가 적응하도록 도와주자!

용어 체크

적응

특정한 서식지에서 오랜 기간에 걸쳐 살아남기에 유리한 특징이 자손에게 전달되는 것

예 밤송이는 가시를 통해 밤을 먹으려고 하는 적에게서 밤을 보호하기 유리하게 ❶ [   ] 되었다.

▲ 밤송이의 가시

정답 ❶ 적응

1 비생물 요소가 생물에 미치는 영향을 알아볼까?

햇빛과 물이 콩나물의 자람에 미치는 영향 알아보기

햇빛 ○, 물 ○	햇빛 ○, 물 ×	햇빛 ×, 물 ○	햇빛 ×, 물 ×

- 햇빛을 받은 콩나물은 떡잎의 색깔이 초록색이고, 햇빛을 받지 못한 콩나물은 떡잎의 색깔이 노란색임.
- 물을 준 콩나물은 길쭉하게 자라고, 물을 주지 않은 콩나물은 시듦.

알 수 있는 점

콩나물이 자라는 데 **햇빛과 물이 영향을 줌.**

비생물 요소가 생물에 미치는 영향

온도	햇빛	물

가을이 되어 온도가 낮아지면 식물의 잎에 단풍이 들고 낙엽이 짐.	햇빛은 동물이 물체를 보고 식물이 양분을 만드는 데 필요함.	생물이 생명을 유지하는 데 반드시 필요함.

햇빛은 동물이 물체를 보고 식물이 [1](물 / 양분)을 만드는 데 필요합니다.

2 다양한 환경에 적응된 생물의 예를 알아볼까?

적응: 특정한 서식지에서 오랜 기간에 걸쳐 살아남기에 유리한 특징이 자손에게 전달되는 것

생김새를 통해 적응된 생물의 예

가늘고 길쭉한 생김새를 통해 나뭇가지가 많은 환경에서 몸을 숨기기 유리함.

굵은 줄기와 뾰족한 가시는 건조한 환경에 유리함.

생활 방식을 통해 적응된 생물의 예

다른 지역으로 이동하는 행동을 통해 계절별 온도 차가 큰 환경에 유리함.

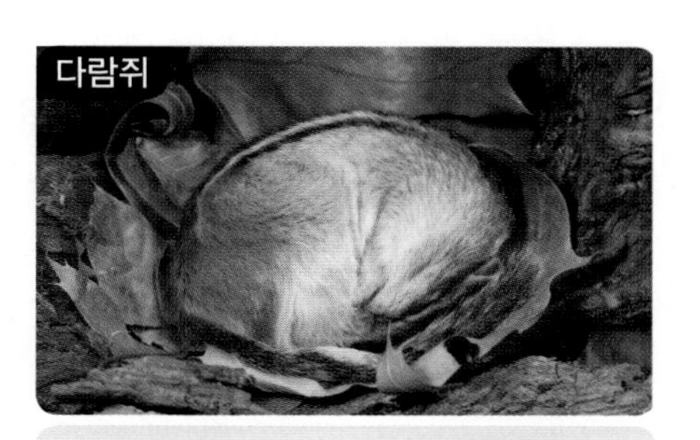

겨울잠을 자는 행동을 통해 몸에 저장된 양분을 천천히 사용하여 추운 겨울을 지내기 유리함.

선인장의 굵은 줄기와 뾰족한 가시는 ❷(생김새 / 생활 방식)을/를 통해 환경에 적응된 예입니다.

정답 ❶ 양분 ❷ 생김새

개념 체크

정답과 풀이 1쪽

1 햇빛을 받은 콩나물은 떡잎의 색깔이 □□색입니다.

2 가을이 되어 온도가 □□지면 식물의 잎에 단풍이 듭니다.

3 다람쥐는 □□□을/를 자는 행동을 통해 추운 겨울을 지내기 유리하게 적응되었습니다.

보기
- 초록
- 노란
- 높아
- 낮아
- 겨울잠
- 털갈이

3일 개념 확인하기

정답과 풀이 2쪽

1 다음은 햇빛과 물 조건만 다르게 하고 콩나물을 기른 모습입니다. 햇빛이 비치는 곳에 두고 물을 주어 기른 콩나물의 모습으로 옳은 것은 어느 것입니까? (   )

①

▲ 떡잎이 노란색이고 시들었음.

②

▲ 떡잎이 초록색이고 시들었음.

③

▲ 떡잎이 초록색이고 길쭉하게 자랐음.

④

▲ 떡잎이 노란색이고 길쭉하게 자랐음.

2 다음을 읽고 햇빛과 물이 콩나물의 자람에 미치는 영향에 대한 설명으로 옳은 것에는 ○표, 옳지 않은 것에는 ×표를 하시오.

(1) 물만 콩나물의 자람에 영향을 줍니다. (   )

(2) 햇빛만 콩나물의 자람에 영향을 줍니다. (   )

(3) 햇빛과 물 모두 콩나물의 자람에 영향을 줍니다. (   )

3 다음 중 동물이 물체를 보는 데 필요한 비생물 요소는 어느 것입니까? (   )

① 물 ② 흙 ③ 햇빛
④ 온도 ⑤ 바람

4 다음은 적응에 대한 설명입니다. □ 안에 들어갈 알맞은 말을 쓰시오.

> 특정한 □ 에서 오랜 기간에 걸쳐 살아남기에 유리한 특징이 자손에게 전달되는 것을 적응이라고 합니다.

(   )

5 오른쪽 선인장의 굵은 줄기와 뾰족한 가시는 다음 중 어떤 환경에 적응된 결과입니까? (　　　　)

① 건조한 환경
② 축축한 환경
③ 온도가 낮은 환경
④ 계절별 온도 차가 큰 환경
⑤ 하루 동안 온도 차가 작은 환경

6 다음 보기 에서 생활 방식을 통해 생물이 환경에 적응된 경우가 아닌 것을 골라 기호를 쓰시오.

보기
㉠ 철새의 이동　　㉡ 대벌레의 몸　　㉢ 다람쥐의 겨울잠

(　　　　　　　　)

똑똑한 하루 퀴즈

7 다음 □ 안에 들어갈 알맞은 낱말을 말 상자에서 찾아 모두 ○표를 하세요. 말 상자의 낱말은 가로, 세로, 대각선에 숨어 있어요.

생	활	방	식
김	햇	★	물
새	우	빛	깔
★	해	적	응

❶ □□을 받은 콩나물은 떡잎의 색깔이 초록색임.
❷ 생물은 생김새와 생활 방식 등을 통하여 환경에 □□됨.
❸ 선인장의 가시는 □□□를 통해 건조한 환경에 적응된 예임.

4일 환경 오염 / 생태계 보전

동글아! 널 지켜줄게.

용어 체크

환경 오염

사람들의 활동으로 자연환경이나 생활 환경이 더럽혀지거나 훼손되는 현상

예 일회용품을 사용하면 편리하지만 쓰레기가 늘어나 환경 ❶ [　　] 의 원인이 된다.

▲ 쓰레기로 오염된 산

정답 ❶ 오염

드래곤으로부터 지구를 지켜야 해!

용어 체크

생태계 보전

생물이 살고 있는 환경을 보호하고, 생태계 평형을 유지하고자 노력하는 것

예 생태계를 ❶[   ] 하려면 쓰레기를 함부로 버리지 않고 종류에 따라 나누어서 버려야 한다.

▲ 쓰레기 분리수거함

정답 ❶ 보전

4일 개념 익히기

1 환경 오염이 생물에 미치는 영향을 알아볼까?

환경 오염
사람들의 활동으로 자연환경이나 생활 환경이 더렵혀지거나 훼손되는 현상

환경 오염의 원인 → **생물에 미치는 영향**

대기(공기) 오염

▲ 자동차 매연

▲ 공장의 매연

- 황사나 미세 먼지 때문에 동물의 호흡 기관에 이상이 생기거나 병에 걸림.
- 자동차의 배기가스는 생물의 성장에 피해를 주기도 함.

수질(물) 오염

▲ 폐수 배출

▲ 기름 유출

- 물이 더러워지고 악취가 남.
- 산소가 부족하여 물고기가 죽기도 함.
- 유조선의 기름이 유출되어 생물의 서식지가 파괴됨.

토양(흙) 오염

▲ 쓰레기 배출

▲ 지나친 농약 사용

쓰레기를 매립하면 토양이 오염되어 주변에 심각한 악취가 남.

(매립: 쓰레기를 모아서 파묻음.)

☑ 환경 오염은 생물의 생활에 ❶(이로운 / 해로운) 영향을 줍니다.

2 생태계를 보전하기 위해 우리가 실천할 수 있는 일을 알아볼까?

▲ 나무 심기

▲ 일회용품 사용 줄이기

생태계를 보전하기 위해 우리 모두 함께 노력해야 해!

생태계 보전
생물이 살고 있는 환경을 보호하고, 생태계 평형을 유지하고자 노력하는 것

▲ 자전거 이용하기

쓰레기를 분리배출해야 재활용할 수 있어.

▲ 쓰레기 분리배출하기

생태계를 보전하기 위해서는 ❷(필수품 / 일회용품) 사용을 줄여야 합니다.

정답 ❶ 해로운 ❷ 일회용품

개념 체크

정답과 풀이 2쪽

1 자동차 매연은 ☐☐ 오염의 원인입니다.

2 수질이 오염되면 ☐☐이/가 부족하여 물고기가 죽기도 합니다.

3 생태계를 보전하려면 쓰레기를 ☐☐배출해야 합니다.

보기
- 대기
- 자극
- 산소
- 토양
- 함께
- 분리

4일 개념 확인하기

정답과 풀이 2쪽

1 다음 중 사람들의 활동으로 자연환경이나 생활 환경이 더렵혀지거나 훼손되는 현상을 무엇이라고 합니까? (　　　)

① 환경 오염
② 생태계 보전
③ 생물의 적응
④ 생태계 평형
⑤ 비생물 요소

2 다음과 같이 황사나 미세 먼지가 발생했을 때 생물에 미치는 영향을 바르게 말한 친구의 이름을 쓰시오.

동휘 : 동물에게는 아무런 영향을 미치지 않아.
정아 : 공기가 더 깨끗해져서 식물과 동물 모두 더 건강해져.
지연 : 동물의 호흡 기관에 이상이 생기거나 병에 걸릴 수 있어.

(　　　　　　　　　)

3 오른쪽과 같이 유조선에서 기름이 유출되었을 때 나타날 수 있는 현상으로 옳은 것을 두 가지 고르시오. (　　　,　　　)

① 물이 깨끗해진다.
② 물에서 악취가 난다.
③ 물고기가 죽기도 한다.
④ 물에 산소가 풍족해진다.
⑤ 물에 사는 생물의 수가 더 많이 늘어난다.

4 다음 중 생태계 보전을 위해 우리가 실천해야 할 일로 옳은 것을 골라 기호를 쓰시오.

㉠

▲ 일회용품 사용하기

㉡

▲ 가까운 거리도 자동차를 타고 이동하기

㉢

▲ 나무 심기

( )

집중 연습 문제 환경 오염의 원인

5 다음과 같은 공장 폐수의 배출은 무엇을 오염시키는 원인이 되는지 쓰시오.

( )

폐수는 어디로 바로 흘러 들어가는지 생각해 봐.

6 다음 중 환경 오염의 원인이 아닌 것은 어느 것입니까? ( )

① 기름 유출
② 쓰레기 배출
③ 공장의 매연
④ 자동차의 매연
⑤ 농약 사용 금지

환경 오염에는 대기 오염, 수질 오염, 토양 오염 등이 있어.

1주 마무리하기

1 생태계

① **생태계 :** 어떤 장소에서 서로 영향을 주고받는 생물 요소와 비생물 요소

② **생태계의 구성 요소**

생물 요소	생산자	햇빛 등을 이용해 살아가는 데 필요한 양분을 스스로 만드는 생물 예 풀, 나무
	소비자	스스로 양분을 만들지 못하고 다른 생물을 먹이로 하여 살아가는 생물 예 동물
	분해자	주로 죽은 생물이나 배출물을 분해하여 양분을 얻는 생물 예 버섯, 곰팡이, 세균 등
비생물 요소	공기, 햇빛, 물, 온도, 흙 등	

2 생물의 먹이 관계 / 생태계 평형

① **생태계를 구성하는 생물의 먹이 관계**

먹이 사슬	먹이 그물
생물의 먹이 관계가 사슬처럼 연결되어 있는 것	여러 개의 먹이 사슬이 얽혀 그물처럼 연결되어 있는 것

② **생태 피라미드 :** 먹이 단계에 따라 생물의 수나 양을 피라미드 형태로 표현한 것

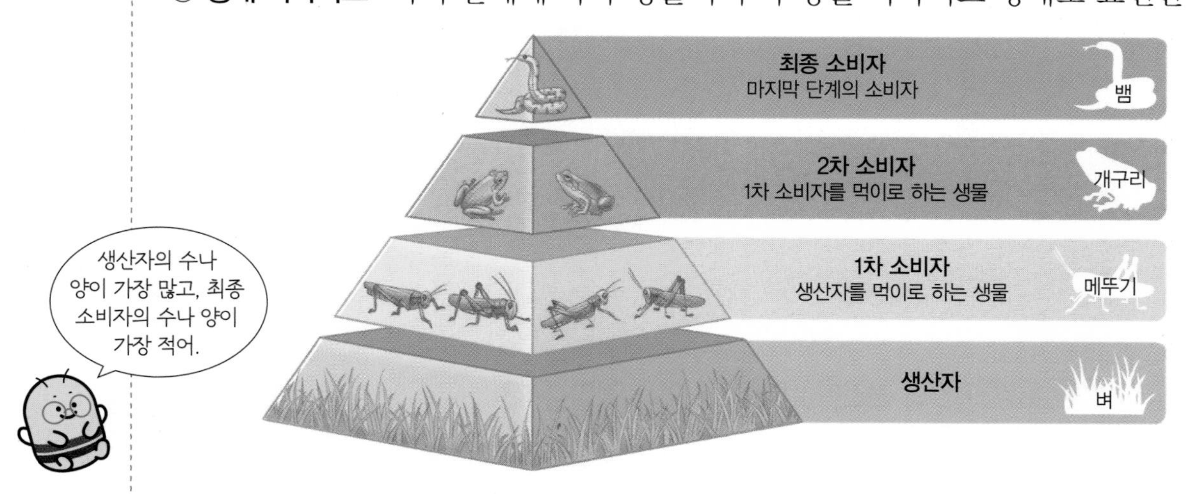

생산자의 수나 양이 가장 많고, 최종 소비자의 수나 양이 가장 적어.

③ **생태계 평형 :** 어떤 지역에 살고 있는 생물의 종류와 수 또는 양이 균형을 이루며 안정된 상태를 유지하는 것

3 비생물 요소가 생물에 미치는 영향 / 적응

① 비생물 요소가 생물에 미치는 영향

온도	식물의 잎에 단풍이 들고 낙엽이 지는 것, 철새의 이동 등에 영향을 줌.
햇빛	동물이 물체를 보고 식물이 양분을 만드는 데 필요함.
물	생물이 생명을 유지하는 데 반드시 필요함.

생물이 사는 곳을 서식지라고 해.

② **적응** : 특정한 서식지에서 오랜 기간에 걸쳐 살아남기에 유리한 특징이 자손에게 전달되는 것

4 환경 오염 / 생태계 보전

① **환경 오염** : 사람들의 활동으로 자연환경이나 생활 환경이 더럽혀지거나 훼손되는 현상
② **생태계 보전** : 생물이 살고 있는 환경을 보호하고 생태계 평형을 유지하고자 노력하는 것

▲ 생태계 보전에 필요한 실천 방법

북극여우는 여름에는 갈색, 겨울에는 하얀색, 그 외 계절에는 다소 어두운 색으로 털갈이를 해서 털 색이 계절별 주변 환경과 비슷해.

왜 계절에 따라 다른 색으로 털갈이를 하는 거야?

털 색이 주변 환경 색과 비슷해야 적의 눈을 피할 수 있고, 먹잇감에 접근하기 쉬워서야.

북극여우의 털갈이는 서식지 환경에서 살아남기 알맞게 적응된 거구나!

1일 생태계

1 다음과 같이 어떤 장소에서 서로 영향을 주고받는 생물 요소와 비생물 요소를 무엇이라고 하는지 쓰시오.

( )

2 위 **1**번의 ㉠~㉤ 중 비생물 요소끼리 바르게 짝지은 것은 어느 것입니까? ( )

① ㉠, ㉣ ② ㉡, ㉢ ③ ㉡, ㉣
④ ㉢, ㉤ ⑤ ㉣, ㉤

3 다음은 생태계의 생물 요소를 분류하는 방법에 대한 설명입니다. □ 안에 들어갈 알맞은 말을 쓰시오.

> 생태계의 생물 요소는 양분을 얻는 방법에 따라 생산자, □, 분해자로 분류할 수 있습니다.

( )

4 다음 중 분해자에 해당하는 생물은 어느 것입니까? ( )

① 배추 ② 버섯 ③ 참새 ④ 호랑이 ⑤ 느티나무

정답과 풀이 2쪽

2일 생물의 먹이 관계 / 생태계 평형

5 오른쪽과 같이 여러 개의 먹이 사슬이 얽혀 그물처럼 연결되어 있는 것을 무엇이라고 합니까? (　　　)

① 생물 요소
② 먹이 그물
③ 먹이 사슬
④ 비생물 요소
⑤ 생태계 평형

6 오른쪽 생태 피라미드에서 각 단계를 이루는 생물의 수 또는 양이 가장 많은 것의 기호를 쓰시오.

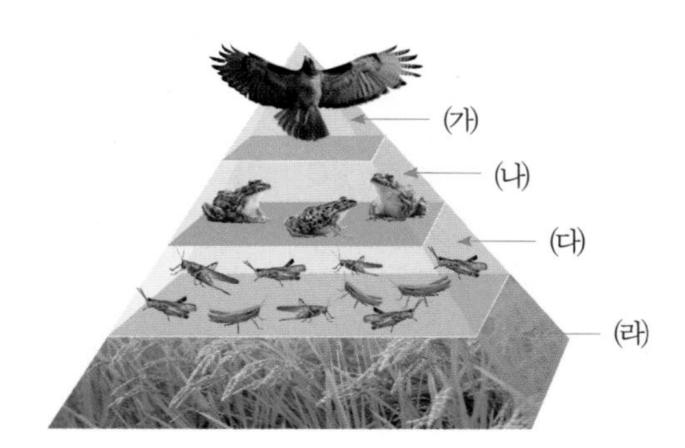

(　　　　　　　)

7 다음 보기에서 위 6번 생태 피라미드에서 (라)의 수 또는 양이 갑자기 많이 줄어들었을 때 나타나는 현상으로 옳은 것을 골라 기호를 쓰시오.

보기
㉠ 생태계 평형이 깨집니다.
㉡ 생태계 평형이 계속 유지됩니다.
㉢ 다른 단계의 생물의 수 또는 양은 전혀 변하지 않습니다.

(　　　　　　　)

3일 비생물 요소가 생물에 미치는 영향 / 적응

8 다음 보기와 같은 조건에서 콩나물을 기른 뒤 일주일 후에 관찰하였을 때 가장 잘 자라는 것을 골라 기호를 쓰시오.

보기
㉠ 어둠상자로 덮어 놓고 물을 주어 기른 것
㉡ 햇빛이 잘 드는 곳에 두고 물을 주어 기른 것
㉢ 어둠상자로 덮어 놓고 물을 주지 않고 기른 것
㉣ 햇빛이 잘 드는 곳에 두고 물을 주지 않고 기른 것

( )

서술형

9 오른쪽의 햇빛이 생물에 미치는 영향을 두 가지 쓰시오.

• 동물 : (1) ________________.

• 식물 : (2) ________________.

10 다음 중 오른쪽의 다람쥐가 추운 겨울을 보내기에 알맞게 적응된 점으로 옳은 것은 어느 것입니까? ( )

① 몸에 가시가 돋아난다.
② 몸을 오므려 굴러다닌다.
③ 겨울 동안 겨울잠을 잔다.
④ 털 색깔이 하얀색으로 변한다.
⑤ 겨울에 다른 지역으로 이동한다.

4일 환경 오염 / 생태계 보전

11 다음 중 대기 오염의 직접적인 원인에 해당하는 것의 기호를 쓰시오.

㉠ 
▲ 쓰레기 배출

㉡ 
▲ 자동차 매연

㉢ 
▲ 공장 폐수 배출

(　　　　　　　　　)

12 다음 중 환경 오염이 생물에 미치는 영향을 바르게 설명한 친구의 이름을 쓰시오.

혜영 : 환경 오염은 생물에게 이로운 영향을 미쳐.
소라 : 환경이 오염되어도 생물이 살아가는 데 아무런 영향을 미치지 않아.
승기 : 수질이 오염되면 산소가 부족해져서 물에 사는 물고기가 죽을 수도 있어.

(　　　　　　　　　)

똑똑한 하루 퀴즈

13 다음 십자말풀이를 해 보세요.

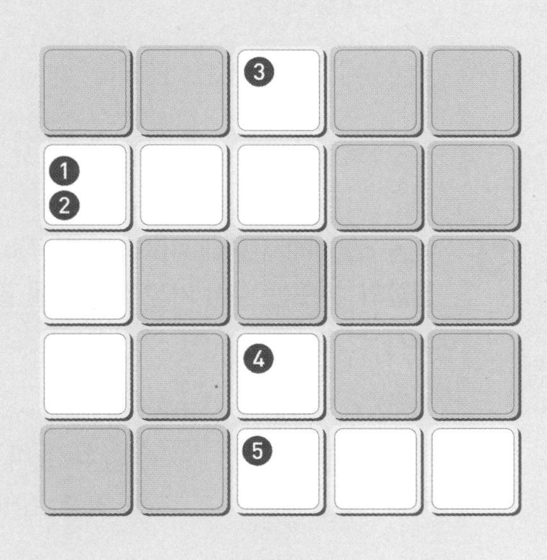

가로

① 생물은 □□□와 생활 방식 등을 통하여 환경에 적응됨.
⑤ 생물 요소 중 주로 죽은 생물이나 배출물을 분해하여 양분을 얻는 생물

세로

② 어떤 장소에서 서로 도움을 주고받는 생물 요소와 비생물 요소
③ 계절에 따라 옮겨 다니며 사는 새
④ 비생물 요소 중 햇빛은 식물이 □□을 만드는 데 꼭 필요함.

맞은 개수 /10개

1 다음은 연못 생태계의 구성 요소입니다. 생물 요소이면 '생', 비생물 요소이면 '비'라고 쓰시오.

(1)

( )

(2)

( )

(3) 붕어

( )

(4)

( )

2 다음은 생물 요소를 양분을 얻는 방법에 따라 분류한 것입니다. 각 생물 요소에 대한 설명에 맞게 줄로 바르게 이으시오.

(1) 생산자 •　　• ㉠ 주로 죽은 생물이나 배출물을 분해하여 양분을 얻는 생물

(2) 소비자 •　　• ㉡ 햇빛 등을 이용해 살아가는 데 필요한 양분을 스스로 만드는 생물

(3) 분해자 •　　• ㉢ 스스로 양분을 만들지 못하고 다른 생물을 먹이로 하여 살아가는 생물

3 다음의 생물 요소가 생산자, 소비자, 분해자 중 각각 무엇에 해당하는지 바르게 짝지은 것은 어느 것입니까? ( )

① 토끼 : 분해자
② 버섯 : 생산자
③ 봉숭아 : 소비자
④ 메뚜기 : 분해자
⑤ 느티나무 : 생산자

4 다음을 읽고 생태계를 구성하는 생물의 먹이 관계에 대한 설명으로 옳은 것에는 ○표, 옳지 않은 것에는 ×표를 하시오.

(1) 실제 생태계에서 생물은 한 생물만을 먹이로 합니다. ( )

(2) 생태계에서 생물의 먹이 관계가 사슬처럼 연결되어 있는 것을 먹이 그물이라고 합니다. ( )

(3) 실제 생태계에서는 생물 사이의 먹고 먹히는 관계가 얽혀서 복잡한 형태로 나타납니다. ( )

5 다음 보기에서 생태 피라미드의 먹이 단계에서 생물의 수 또는 양이 가장 적은 것을 골라 기호를 쓰시오.

보기
㉠ 생산자　　㉡ 1차 소비자
㉢ 2차 소비자　　㉣ 최종 소비자

( )

6 다음은 생태계 평형에 대한 설명입니다. □ 안에 들어갈 알맞은 말을 쓰시오.

> 어떤 지역에 살고 있는 생물의 종류와 수 또는 양이 [　　　]을/를 이루며 안정된 상태를 유지하는 것을 생태계 평형이라고 합니다.

(　　　　　　　　)

7 다음 중 비생물 요소가 생물에 미치는 영향으로 옳지 않은 것은 어느 것입니까? (　　　)

① 햇빛은 동물이 물체를 보는 데 필요하다.
② 흙이 없으면 강낭콩은 잘 자라지 못한다.
③ 공기가 없어도 동물은 숨을 잘 쉴 수 있다.
④ 물은 생물이 생명을 유지하는 데 반드시 필요하다.
⑤ 식물의 잎은 가을이 되어 온도가 낮아지면 단풍이 든다.

8 다음 보기에서 선인장이 건조한 환경에서 살기에 알맞게 적응된 점으로 옳은 것을 골라 기호를 쓰시오.

보기
㉠ 잎이 크고 납작합니다.
㉡ 줄기가 땅속으로 뻗습니다.
㉢ 줄기가 굵고 뾰족한 가시가 있습니다.

(　　　　　　　　)

9 다음 중 수질 오염의 직접적인 원인은 어느 것입니까? (　　　)

①

▲ 공장의 매연

②

▲ 공장 폐수 유출

③

▲ 쓰레기 배출

④
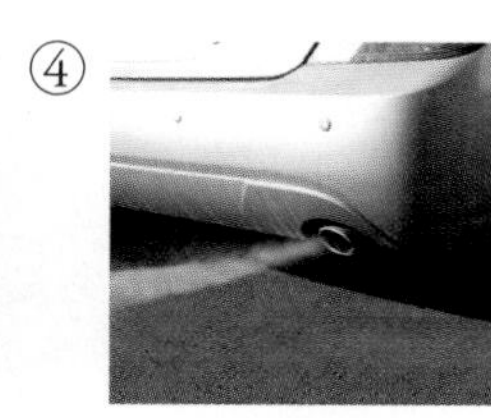
▲ 자동차 매연

10 다음을 보고 생태계를 보전하기 위해 우리가 실천할 일로 옳은 것에는 ○표, 옳지 않은 것에는 ×표를 하시오.

(1)

▲ 쓰레기를 분리배출함.
(　　　)

(2)

▲ 가까운 곳도 자동차를 타고 이동함.
(　　　)

(3)
▲ 나무를 심음.
(　　　)

(4)

▲ 일회용품을 사용함.
(　　　)

생활 속 과학

단풍이 드는 현상을 통해 비생물 요소가 생물에 미치는 영향을 알아봅니다.

단풍이 드는 까닭은 무엇일까?

가을이 되어 초록색이던 식물의 잎이 빨간색, 노란색, 갈색 등으로 변하는 현상을 단풍이라고 해요. 단풍이 드는 직접적인 원인은 온도와 관계가 있어요. 식물은 하루 최저 기온이 5 ℃ 이하로 떨어지기 시작하면 단풍이 들기 시작해요.

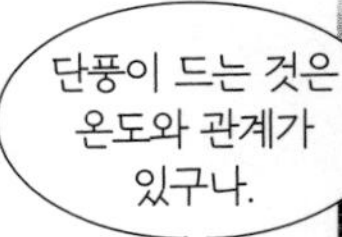

▲ 단풍이 든 모습

가을이 되어 기온이 낮아지면 잎에서는 초록색을 띠게 하는 색소인 엽록소가 더 이상 만들어지지 않고 파괴되요.

[노란색 단풍]

엽록소가 없어짐에 따라 잎 속에 남아 있던 노란색을 띠게 하는 색소가 나타나게 되어 나뭇잎이 노란색으로 변합니다.

▲ 단풍이 든 은행나무

[붉은색 단풍]

잎 속에 있던 엽록소가 없어지고 붉은색을 띠게 하는 색소가 만들어져 나뭇잎이 붉은색으로 변합니다.

▲ 단풍이 든 단풍나무

1 다음 미로에서 단풍이 드는 데 직접적인 원인이 되는 비생물 요소가 있는 출구로 나가야 초록색 단풍이가 붉게 변할 수 있어요. 단풍이의 색깔이 붉게 변할 수 있도록 길을 찾아 이어 주세요.

사고 쑥쑥

생태계의 생물 요소를 생산자, 소비자, 분해자로 구분하여 봅니다.

2 윤성이가 말판 놀이를 하고 있어요. 주사위 2개를 던져 나온 수만큼 연속하여 이동하였을 때 각 칸에 해당하는 생물은 생산자, 소비자, 분해자 중 무엇에 해당하는지 쓰세요. (단, 주사위 2개를 던져 나온 수를 더한 만큼 이동합니다.)

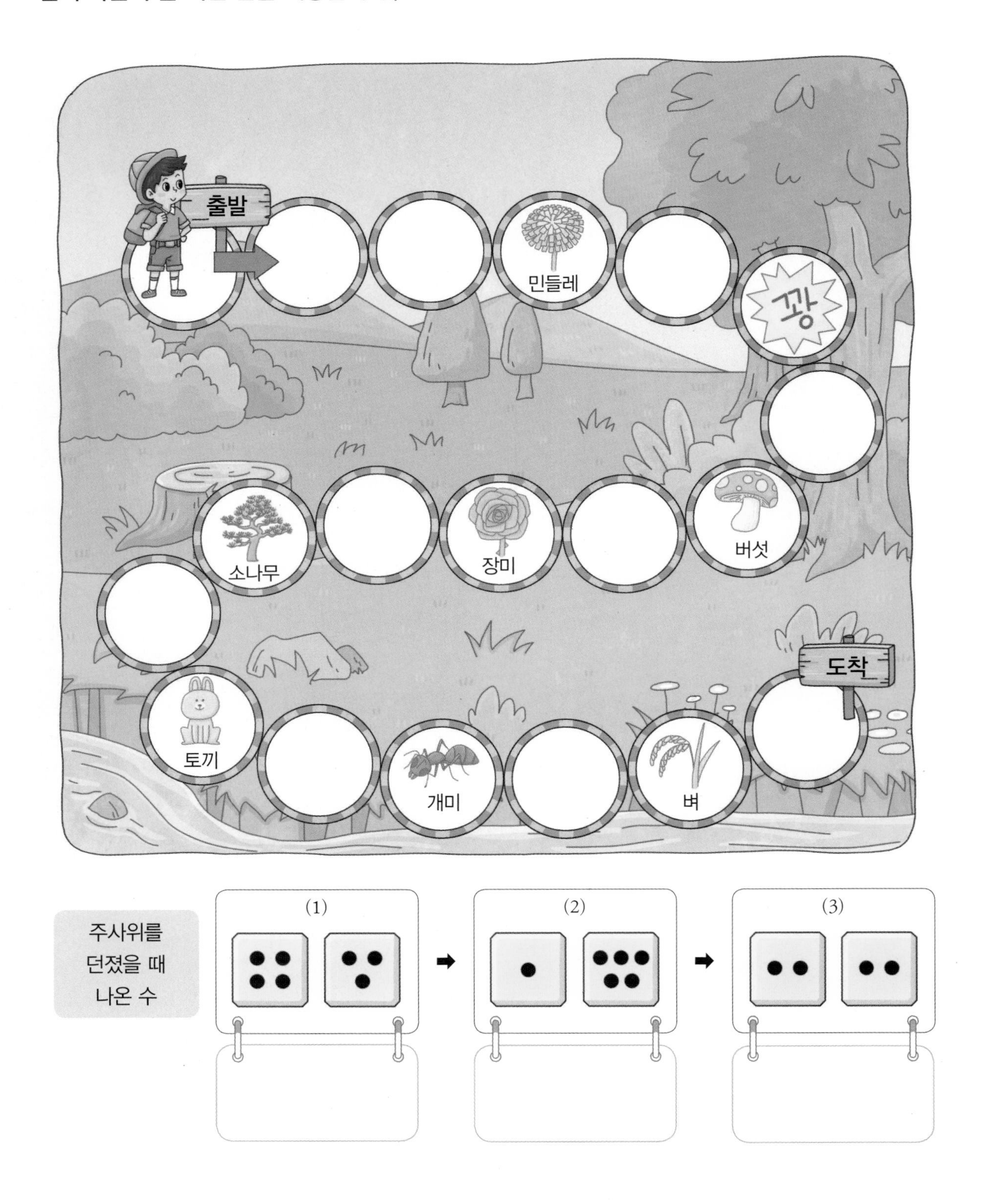

주사위를 던졌을 때 나온 수	(1) 4, 3	(2) 1, 5	(3) 2, 2

3 다음 만화를 읽고 하디와 이지가 말한 생태계 보전 방법이 생태계를 보전하는 데 어떻게 도움이 될지 생각해서 쓰세요.

구분	생태계 보전 방법	생태계 보전에 도움이 되는 점
하디	자전거 타기	(1) 자전거를 탈 때에는 배기가스가 나오지 않으므로, ________.
이지	음식 남기지 않기	(2) 음식을 남기지 않으면 ________ ________.

논리 탄탄

코딩을 통해 생물 요소와 비생물 요소를 알아봅니다.

4 참새는 코딩을 하여 도착한 곳에 있는 생물을 먹이로 먹으려고 해요. 참새의 먹이가 될 생물이 있는 곳에 ○표를 하세요.

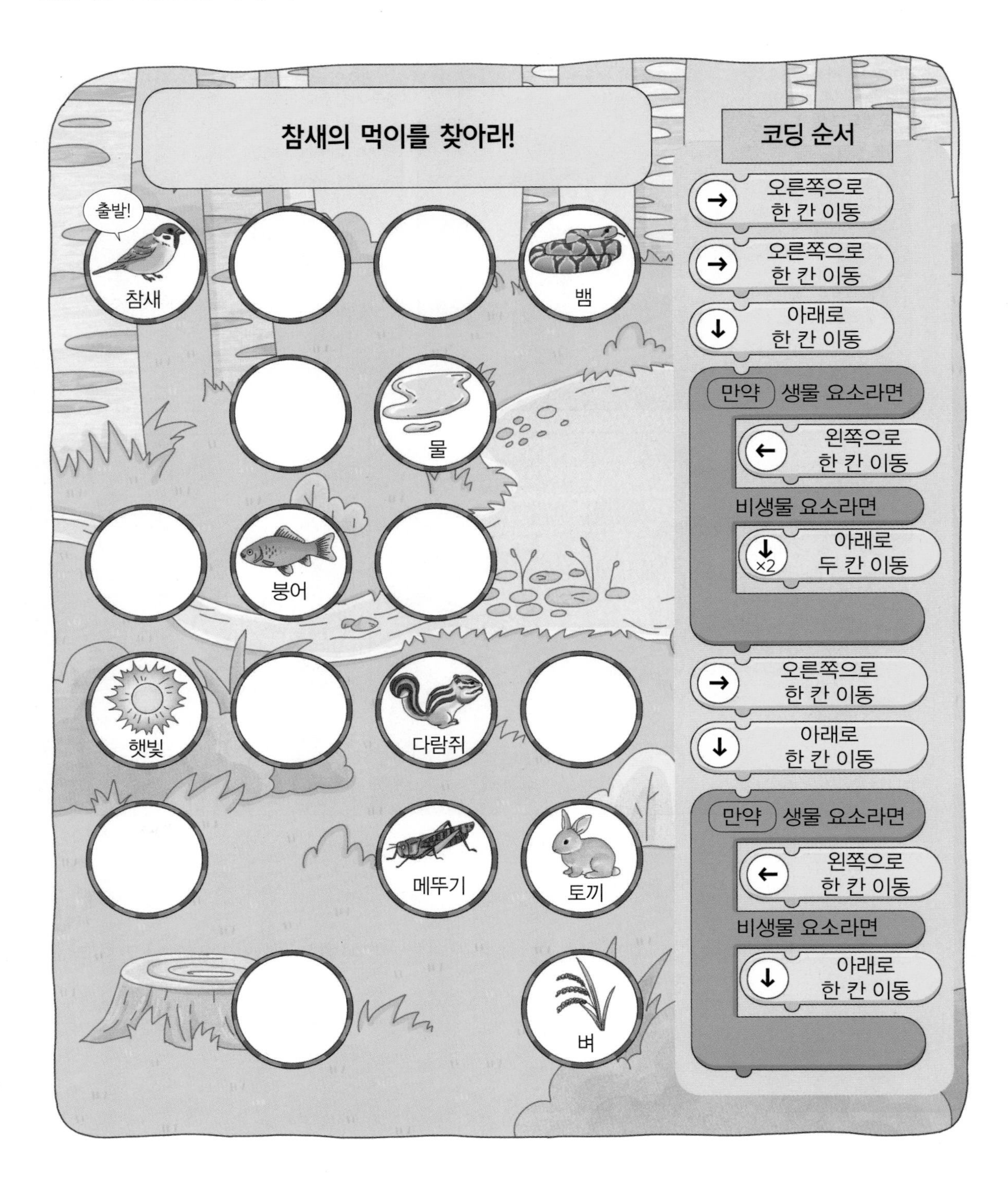

사막 환경에 적응된 생물의 특징을 알아봅니다.

5 암호 해독표를 보고 하디와 이지가 사막에서 탈출할 수 있도록 만화 속 암호문을 풀어보세요.

암호 해독표

!	@	#	%	&	*	?	~	$
ㄱ	ㄷ	ㄹ	ㅂ	ㅇ	ㅈ	ㄲ	ㄸ	ㅃ
1	2	3	4	5	6	7	8	9
ㅏ	ㅑ	ㅓ	ㅕ	ㅗ	ㅛ	ㅜ	ㅠ	ㅡ

해독한 암호문

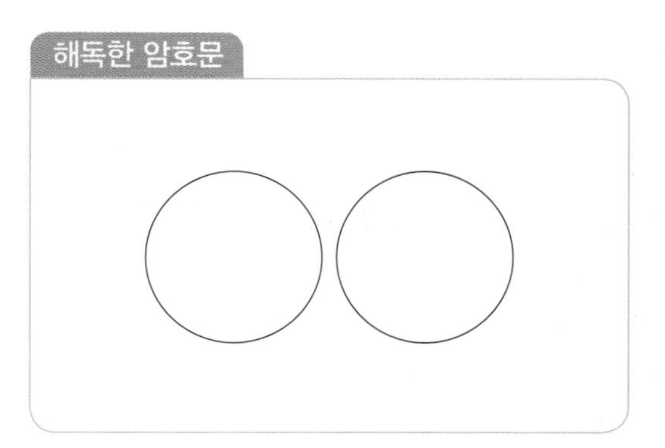

2주 날씨와 우리 생활

2주에는 무엇을 공부할까? 1

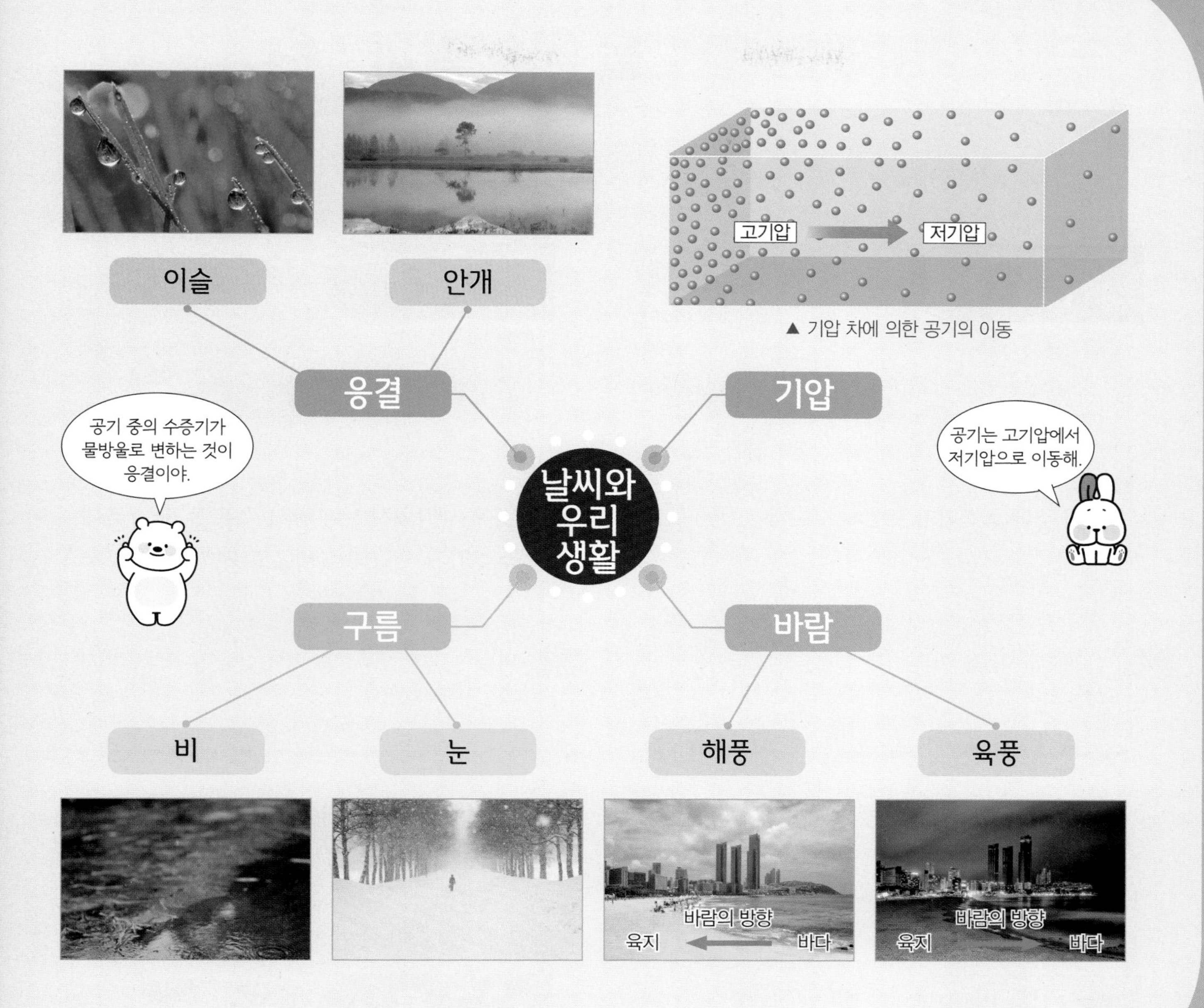

▲ 기압 차에 의한 공기의 이동

2주에는 무엇을 공부할까? ❷

습도

濕 度
젖을 습 법도 도

뜻 **공기 중에 수증기가 포함된 정도**

예 실내에서 식물을 키우면 적절한 **습도**를 유지하는 데 도움을 줘요.

이슬

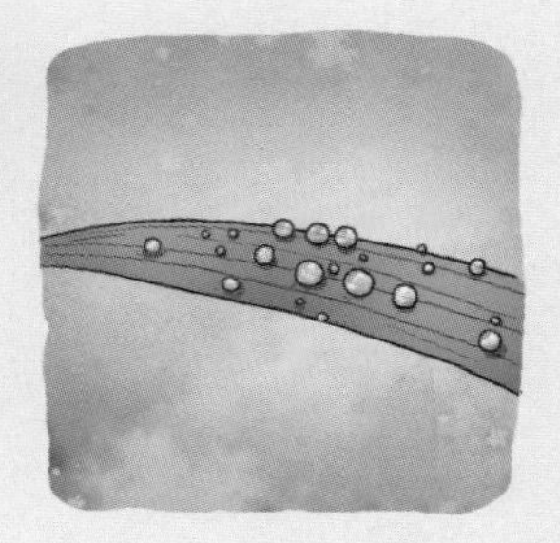

뜻 **밤에 차가워진 나뭇가지나 풀잎 표면 등에 수증기가 응결해 물방울로 맺히는 것**

예 **이슬**은 낮과 밤의 온도 차가 심하고, 바람이 불지 않는 날 잘 생겨요.

안개

뜻 **밤에 지표면 근처의 공기가 차가워지면 공기 중 수증기가 응결해 작은 물방울로 떠 있는 것**

예 캠핑을 갔다가 이른 아침에 호수 위에 있는 **안개**를 본 적이 있어요.

구름

뜻 **공기 중의 수증기가 응결해 물방울이 되거나 얼음 알갱이 상태로 변해 하늘에 떠 있는 것**

예 **구름** 속 얼음 알갱이의 크기가 커지면서 무거워져 녹지 않은 채로 떨어지면 눈이 돼요.

날씨와 우리 생활과 관련된 다양한 용어가 있어. 특히 습도, 이슬, 안개, 고기압, 저기압, 공기 덩어리 등의 용어는 꼭 기억해!

고기압

高 氣 壓

높을 고 공기 기 누를 압

뜻 **상대적으로 공기가 무거운 것**

예 내일은 우리나라에 위치한 **고기압**의 영향으로 날씨가 맑을 것이에요.

저기압

低 氣 壓

낮을 저 공기 기 누를 압

뜻 **상대적으로 공기가 가벼운 것**

예 우리나라의 서쪽에 고기압이 있고 동쪽에 **저기압**이 있으면 서풍이 불어요.

고기압에서 저기압으로 향하는 공기의 수평 이동을 바람이라고 해.

공기 덩어리

뜻 **한 곳에 오래 머물러 기온과 습도가 일정해진 공기가 크게 뭉쳐져 이루어진 것**

예 우리나라는 여름에 남동쪽에서 이동해 오는 **공기 덩어리**의 영향으로 덥고 습해요.

1일 습도 / 이슬과 안개

습도에 민감한 동글새

용어 체크

수증기

기체 상태로 되어 있는 물

예 추운 겨울 유리창에 맺힌 물방울은 공기 중의 ❶ ______ 가 응결한 것이다.

습도

공기 중에 수증기가 포함된 정도

예 마른 숯을 실내에 놓아두면 ❷ ______ 를 낮출 수 있다.

정답 ❶ 수증기 ❷ 습도

갑자기 안개가 짙어졌어.

용어 체크

이슬

밤에 차가워진 나뭇가지나 풀잎 표면 등에 수증기가 응결해 물방울로 맺히는 것

예 이른 아침 거미줄에 맺힌 ❶ [   ] 을 본 적이 있다.

안개

밤에 지표면 근처의 공기가 차가워지면 공기 중 수증기가 응결해 작은 물방울로 떠 있는 것

예 할머니 집에 놀러갔을 때 논 위에 자욱하게 낀 ❷ [   ] 를 보았다.

정답 ❶ 이슬 ❷ 안개

1 일 개념 익히기

1 습도는 우리 생활에 어떤 영향을 미칠까?

건습구 습도계

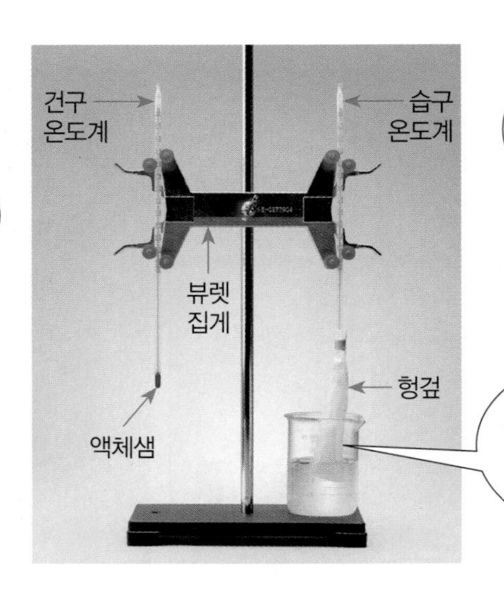

알코올 온도계 한 개의 액체샘을 헝겊으로 감싼 뒤 헝겊의 아랫부분이 물에 잠기도록 해.

액체샘이 물에 잠기지 않도록 해요.

습도표 읽는 방법

※ 건구 온도 : 15 ℃, 습구 온도 : 13 ℃일 때 (단위 : %)

건구 온도 (℃)	건구 온도와 습구 온도의 차(℃)			
	0	1	❷ 2	3
14	100	90	79	70
❶ 15	100	90	80 ❸	71
16	100	90	81	71

❶ 건구 온도인 15 ℃를 세로줄에서 찾기
❷ 건구 온도와 습구 온도의 차(15 ℃−13 ℃ =2 ℃)를 구해 가로줄에서 찾기
❸ ❶과 ❷가 만나는 지점을 찾기
➡ 현재 습도 : 80 %

습도가 우리 생활에 미치는 영향

마른 숯을 놓거나 제습제를 사용하여 습도를 낮출 수 있어요.

습도가 높을 때
음식물이 부패하기 쉽고 빨래가 잘 마르지 않으며 곰팡이가 잘 핌.

빨래를 널거나 가습기를 사용하여 습도를 높일 수 있어요.

습도가 낮을 때
감기에 걸리거나 산불이 발생하기 쉬우며, 피부가 건조해짐.

습도가 ❶(낮 / 높)으면 음식물이 부패하기 쉽고, 습도가 ❷(낮 / 높)으면 감기에 걸리거나 산불이 발생하기 쉽습니다.

2 이슬과 안개는 어떻게 만들어질까?

▶ 실험 동영상

이슬 발생 실험

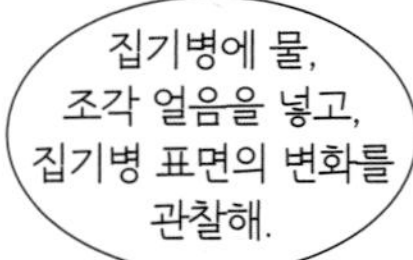

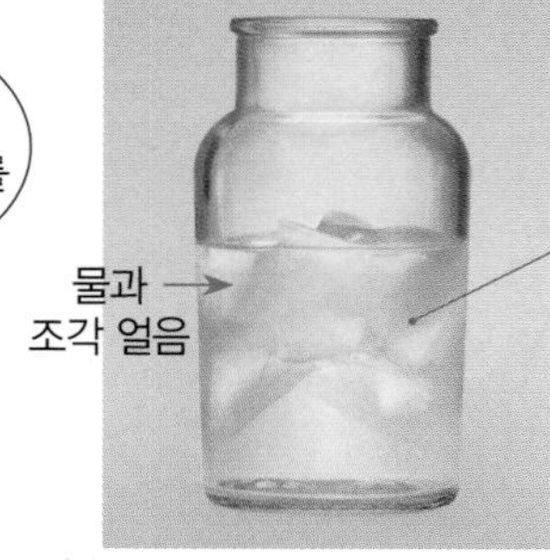

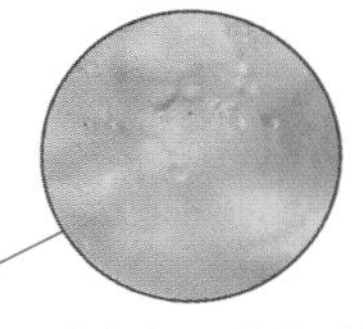

▲ 집기병 표면에 작은 물방울이 맺힘.

비슷한 자연 현상 : 이슬

집기병 바깥에 있는
공기 중 수증기가 응결해
집기병 표면에서 물방울로
맺히기 때문이야.

안개 발생 실험

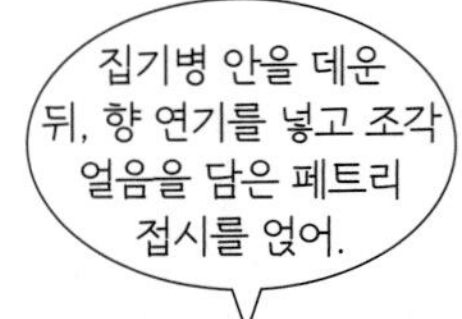

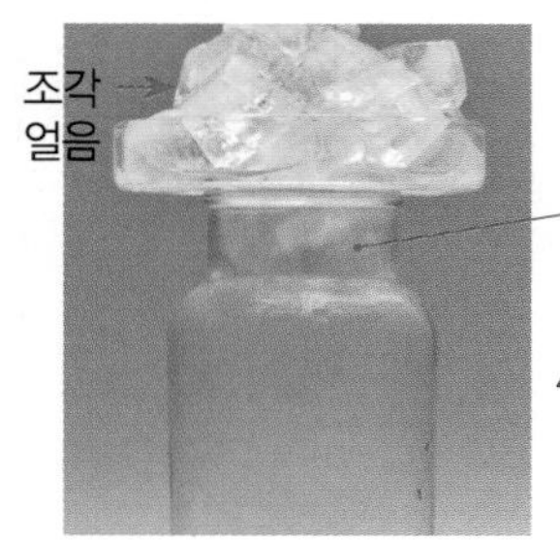

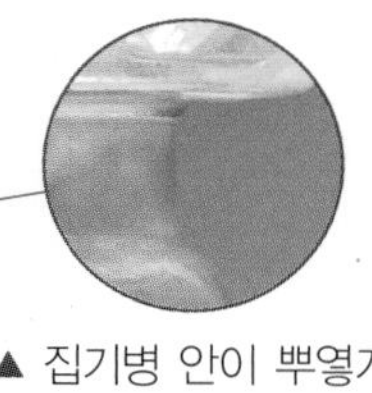

▲ 집기병 안이 뿌옇게 흐려짐.

비슷한 자연 현상 : 안개

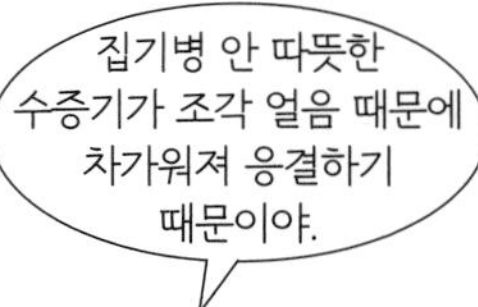

이슬과 안개

- 이슬 : 밤에 차가워진 나뭇가지나 풀잎 표면 등에 수증기가 응결해 물방울로 맺히는 것
- 안개 : 밤에 지표면 근처의 공기가 차가워지면서 공기 중 수증기가 응결해 작은 물방울로 떠 있는 것

➡ 이슬과 안개 모두 응결에 의한 현상임. (응결: 공기 중의 수증기가 물방울로 변하는 현상)

이슬과 안개는 모두 ❸(응결 / 증발)에 의해 만들어진 현상입니다.

정답 ❶ 높 ❷ 낮 ❸ 응결

개념 체크

정답과 풀이 5쪽

1 건습구 □□□는 건구 온도계와 습구 온도계로 이루어져 있습니다.

2 습도가 □□ 때는 감기에 걸리기 쉽고, 산불이 발생하기 쉽습니다.

3 밤에 차가워진 나뭇가지나 풀잎 표면 등에 수증기가 응결해 물방울로 맺히는 것은 □□입니다.

보기
- 이슬
- 바람
- 낮을
- 높을
- 습도계
- 체중계

2주

개념 확인하기

정답과 풀이 5쪽

1 다음은 습도에 대한 설명입니다. (   ) 안의 알맞은 말에 ○표를 하시오.

공기 중에 (얼음 / 수증기)이/가 포함된 정도를 습도라고 합니다. 습도는 건습구 습도계 등을 이용해 알 수 있습니다.

2 다음 중 오른쪽 건습구 습도계를 만들 때 필요하지 않은 것은 어느 것입니까? (   )

① 헝겊
② 비커
③ 뷰렛 집게
④ 알코올램프
⑤ 알코올 온도계

3 위 **2**번의 건습구 습도계에서 건구 온도가 16 ℃이고, 건구 온도와 습구 온도의 차가 3 ℃일 때, 오른쪽 습도표를 이용하여 습도를 구하시오.

(단위 : %)

건구 온도 (℃)	건구 온도와 습구 온도의 차(℃)			
	0	1	2	3
14	100	90	79	70
15	100	90	80	71
16	100	90	81	71

(   ) %

4 다음 보기에서 습도가 높을 때 나타나는 현상으로 옳은 것을 두 가지 골라 기호를 쓰시오.

보기
㉠ 감기에 걸리기 쉽습니다.
㉡ 산불이 발생하기 쉽습니다.
㉢ 음식이 부패하기 쉽습니다.
㉣ 빨래가 잘 마르지 않습니다.

(,   )

습도 / 이슬과 안개

5 오른쪽과 같이 집기병에 물과 조각 얼음을 넣고, 집기병 표면의 변화를 관찰하는 실험의 결과와 비슷한 자연 현상은 무엇인지 쓰시오.

( )

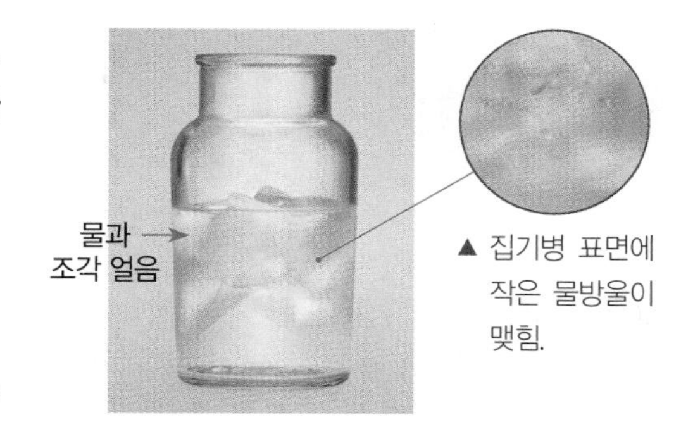

▲ 집기병 표면에 작은 물방울이 맺힘.

6 오른쪽은 집기병 안을 데운 뒤, 향 연기를 넣고 조각 얼음을 담은 페트리 접시를 얹었을 때 집기병 안에서 나타나는 결과입니다. 다음 중 이 결과와 관계있는 현상은 어느 것입니까?

( )

① 끓음
② 녹음
③ 얼음
④ 응결
⑤ 증발

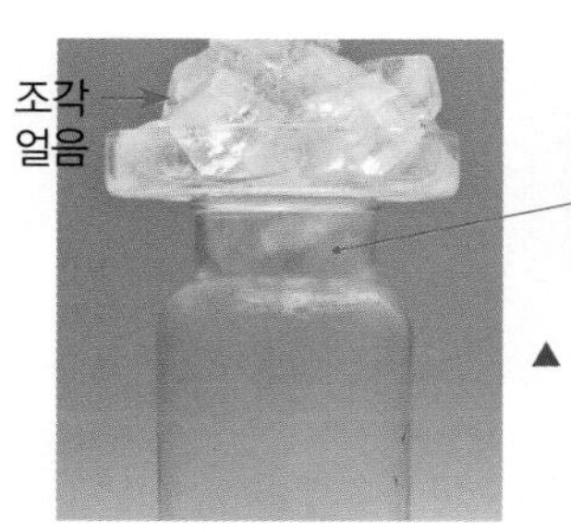

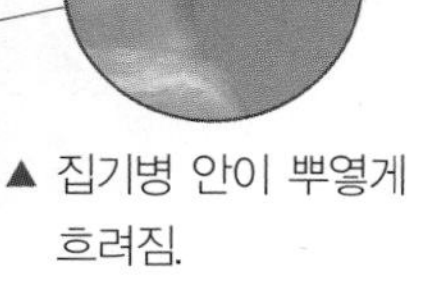
▲ 집기병 안이 뿌옇게 흐려짐.

똑똑한 하루 퀴즈

7 다음 □ 안에 들어갈 알맞은 낱말을 말 상자에서 찾아 모두 ○표를 하세요. 말 상자의 낱말은 가로, 세로, 대각선에 숨어 있어요.

안	★	습	★
★	개	헝	도
이	겊	★	★
슬	★	응	결

1. 공기 중에 수증기가 포함된 정도. □□
2. 밤에 차가워진 나뭇가지나 풀잎 표면 등에 수증기가 응결해 물방울로 맺히는 것. □□
3. 밤에 지표면 근처의 공기가 차가워지면서 공기 중 수증기가 응결해 작은 물방울로 떠 있는 것. □□
4. 공기 중의 수증기가 물방울로 변하는 현상. □□

2일 구름 / 고기압과 저기압

매지카가 마법으로 비를 내리게 한 까닭은?

용어 체크

구름

공기 중의 수증기가 응결해 물방울이 되거나 얼음 알갱이 상태로 변해 하늘에 떠 있는 것

예 ❶ [   ] 속 물방울이 합쳐지면서 무거워져 떨어지면 비가 된다.

정답 ❶ 구름

마법 세계와 통하는 문이 열렸어.

용어 체크

고기압
상대적으로 공기가 무거운 것
예 공기는 ❶ (　　　) 에서 저기압으로 이동한다.

저기압
상대적으로 공기가 가벼운 것
예 오늘은 ❷ (　　　) 의 영향으로 흐리거나 비가 올 예정이다.

정답 ❶ 고기압 ❷ 저기압

2일 개념 익히기

실험 동영상

1 구름은 어떻게 만들어질까?

구름 발생 실험

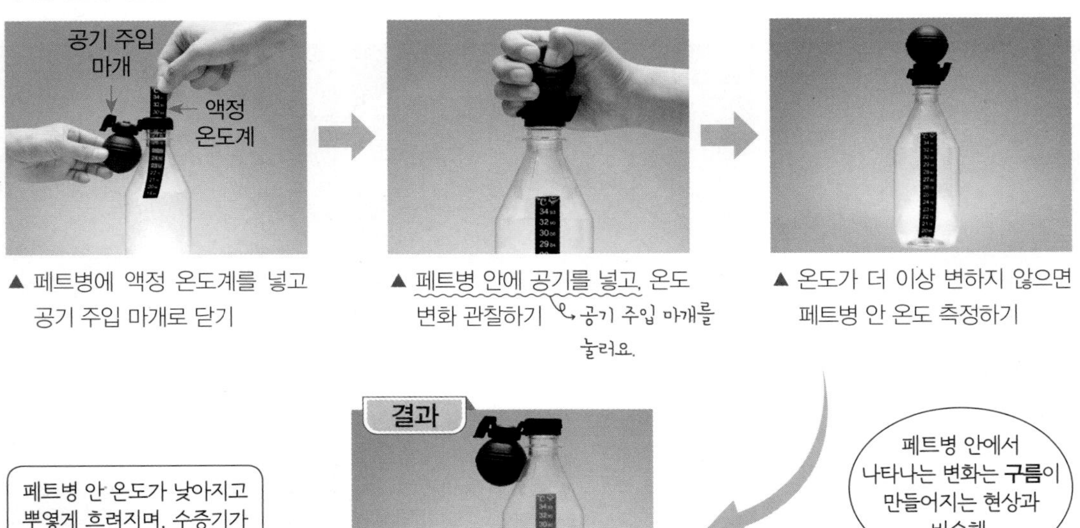

▲ 페트병에 액정 온도계를 넣고 공기 주입 마개로 닫기

▲ 페트병 안에 공기를 넣고, 온도 변화 관찰하기 (공기 주입 마개를 눌러요.)

▲ 온도가 더 이상 변하지 않으면 페트병 안 온도 측정하기

결과

페트병 안 온도가 낮아지고 뿌옇게 흐려지며, 수증기가 응결함. (차가워진 공기 중 수증기가 응결해 물방울이 되었기 때문이에요.)

▲ 뚜껑을 열고 페트병 안 온도와 페트병 내부 관찰하기

구름이 만들어지는 과정

공기는 지표면에서 하늘로 올라가면서 부피가 점점 커지고 온도는 점점 낮아짐. 이때 공기 중 수증기가 응결해 물방울이 되거나 얼음 알갱이 상태로 변해 하늘에 떠 있는 것을 **구름**이라고 함.

비와 눈

비

구름 속 작은 물방울이 합쳐지면서 무거워져 떨어지거나, 크기가 커진 얼음 알갱이가 무거워져 떨어지면서 녹은 것

눈

얼음 알갱이가 크기가 커지면서 무거워져 떨어질 때 녹지 않은 채로 떨어지는 것

공기가 지표면에서 하늘로 올라가면서 공기 중의 수증기가 응결해 하늘에 떠 있는 것이 ❶(구름 / 바람) 입니다.

2 고기압과 저기압은 무엇일까?

실험 동영상

차가운 공기와 따뜻한 공기

차가운 공기는 따뜻한 공기보다 무거워.

고기압과 저기압

저기압: 공기의 무게로 생기는 누르는 힘

고기압
일정한 부피에 공기 알갱이가 더 많아 상대적으로 공기가 무거운 것

저기압
일정한 부피에 공기 알갱이가 더 적어 상대적으로 공기가 가벼운 것

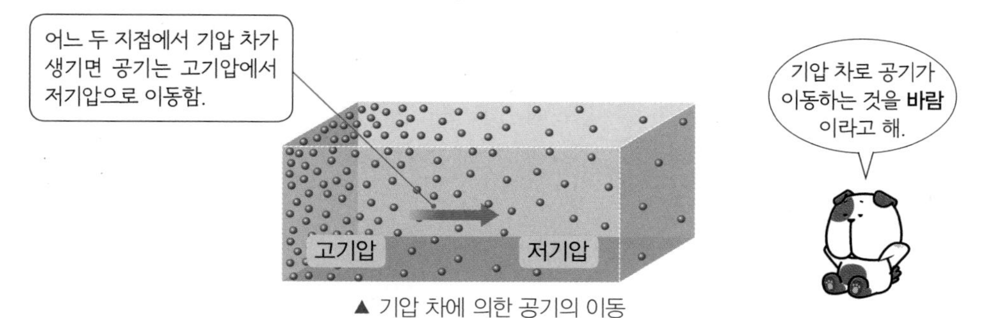

▲ 기압 차에 의한 공기의 이동

기압 차로 공기가 이동하는 것을 **바람**이라고 해.

상대적으로 공기가 무거운 것을 ❷(고기압 / 저기압), 상대적으로 공기가 가벼운 것을 ❸(고기압 / 저기압)이라고 합니다.

정답 ❶ 구름 ❷ 고기압 ❸ 저기압

개념 체크

정답과 풀이 5쪽

1 수증기가 응결해 하늘에 떠 있는 것을 ☐☐(이)라고 합니다.

2 공기의 무게로 생기는 누르는 힘을 ☐☐(이)라고 합니다.

3 일정한 부피에 공기 알갱이가 더 많아 상대적으로 공기가 ☐☐☐ 것을 고기압이라고 합니다.

보기
- 기압
- 구름
- 바람
- 안개
- 가벼운
- 무거운

2일 개념 확인하기

정답과 풀이 5쪽

[1~3] 오른쪽은 공기 주입 마개를 눌러 페트병 안에 공기를 넣고, 온도가 더 이상 변하지 않을 때 뚜껑을 연 모습입니다. 물음에 답하시오.

1 다음 중 위 실험의 결과로 옳은 것은 어느 것입니까? (   )

① 페트병의 색깔이 변한다.
② 페트병 안 온도가 높아진다.
③ 페트병 안이 뿌옇게 흐려진다.
④ 페트병 안에서 불꽃이 나타난다.
⑤ 페트병 안에 얼음 덩어리가 생긴다.

2 다음은 위 **1**번 답과 같은 결과가 나타난 까닭입니다. (   ) 안의 알맞은 말에 ○표를 하시오.

페트병 안 공기가 밖으로 나가면서 부피가 커지고 온도가 낮아집니다. 이때 차가워진 공기 중 수증기가 (응결 / 증발)해 물방울이 되기 때문입니다.

3 위 실험의 결과와 비슷한 자연 현상을 다음 보기에서 골라 기호를 쓰시오.

보기
㉠ 눈 ㉡ 비 ㉢ 구름 ㉣ 바람

(   )

4 다음은 비와 눈 중 어느 것에 대한 설명인지 쓰시오.

구름 속 작은 물방울이 합쳐지면서 무거워져 떨어지거나 구름 속 얼음 알갱이의 크기가 커지면서 무거워져 떨어질 때 기온이 높은 지역을 지나면서 녹아서 떨어집니다.

(   )

5 다음은 일정한 부피에 있는 따뜻한 공기와 차가운 공기의 무게를 비교한 모습입니다. ㉠, ㉡에 알맞은 말을 각각 쓰시오.

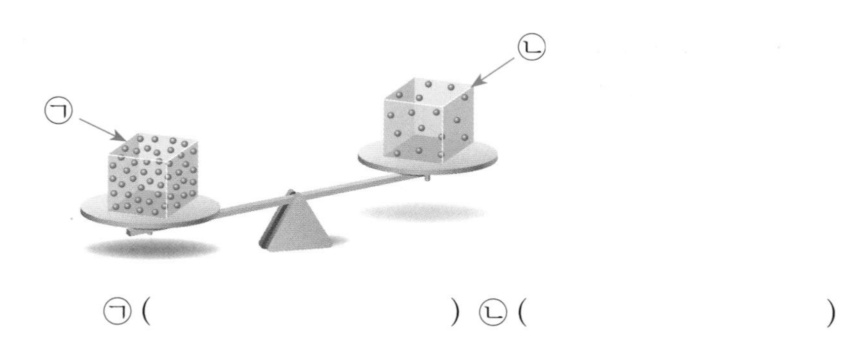

㉠ (　　　　　　　　) ㉡ (　　　　　　　　)

집중 연습 문제 **고기압과 저기압**

6 다음을 고기압과 저기압에 대한 설명에 맞게 줄로 바르게 이으시오.

(1) 고기압 •　　　• ㉠ 일정한 부피에 공기 알갱이가 더 많아 상대적으로 공기가 무거운 것

(2) 저기압 •　　　• ㉡ 일정한 부피에 공기 알갱이가 더 적어 상대적으로 공기가 가벼운 것

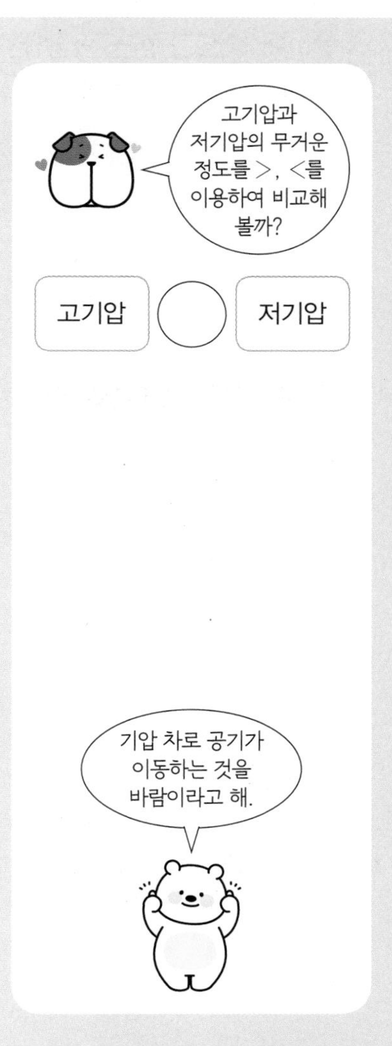

7 다음과 같이 고기압과 저기압이 있을 때 공기의 이동 방향을 □ 안에 ← 또는 →로 나타내시오.

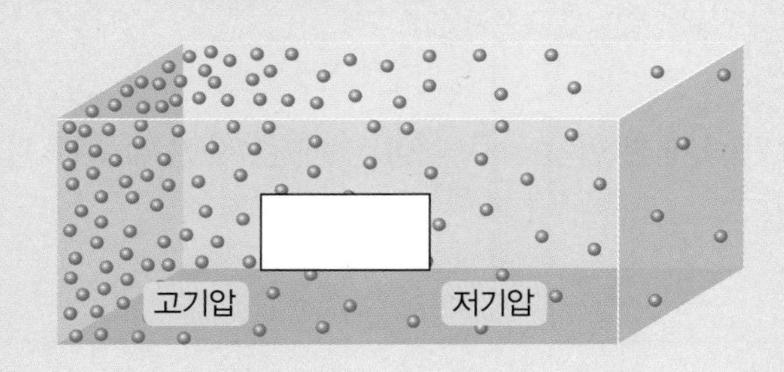

3일 해풍과 육풍

바다 요정의 고민

용어 체크

지면

땅의 표면

예 낮에는 [❶] 이 수면보다 빠르게 데워진다.

수면

물의 표면

예 밤에는 지면의 온도가 [❷] 의 온도보다 낮다.

정답 ❶ 지면 ❷ 수면

바다 요정의 서핑보드가 육지 쪽으로 이동한 까닭은?

용어 체크

해풍
바다에서 육지로 부는 바람

예 낮에 ❶ [ ] 이 불어 바닷가에 있는 바람 자루가 육지 쪽으로 펄럭였다.

육풍
육지에서 바다로 부는 바람

예 밤에는 바다 위의 공기가 육지 위의 공기보다 온도가 높아 ❷ [ ] 이 분다.

정답 ❶ 해풍 ❷ 육풍

3일 개념 익히기

1 하루 동안 지면과 수면의 온도는 어떻게 변할까?

모래와 물의 온도 변화 실험

모래는 육지, 물은 바다, 전등은 태양을 나타내요.

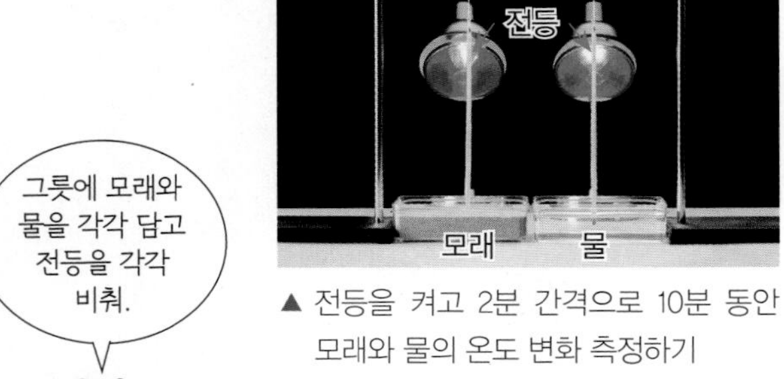

▲ 전등을 켜고 2분 간격으로 10분 동안 모래와 물의 온도 변화 측정하기

▲ 전등을 끄고 2분 간격으로 10분 동안 모래와 물의 온도 변화 측정하기

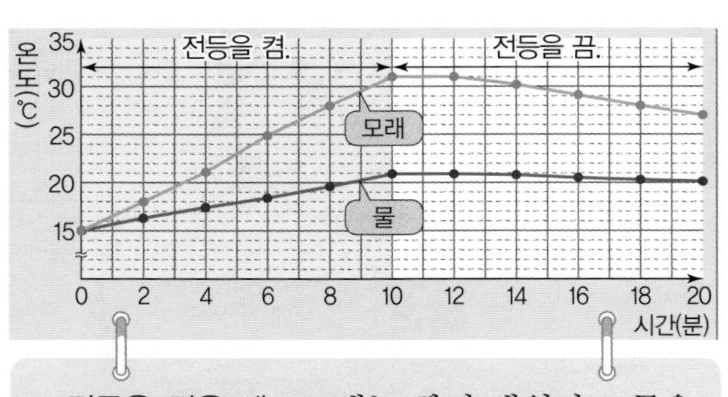

- 전등을 켰을 때 : 모래는 빨리 데워지고 물은 천천히 데워짐.
- 전등을 껐을 때 : 모래는 빨리 식고 물은 천천히 식음.

지면과 수면의 하루 동안 온도 변화

지면: 땅의 표면
수면: 물의 표면

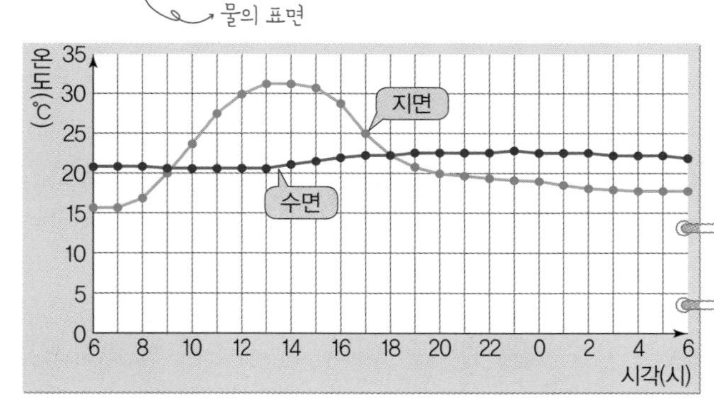

- 낮 : 지면이 수면보다 빠르게 데워지기 때문에 지면의 온도가 수면의 온도보다 높음.
- 밤 : 지면이 수면보다 빠르게 식기 때문에 지면의 온도가 수면의 온도보다 낮음.

하루 동안 ❶(수면 / 지면)은 빠르게 데워지고 빠르게 식지만, ❷(수면 / 지면)은 천천히 데워지고 천천히 식습니다.

▶ 실험 동영상

2 바닷가에서 바람은 어느 방향으로 불까?

바람이 부는 방향 관찰 실험

▲ 가열한 모래와 물을 투명한 상자로 덮고, 향 연기를 넣기

물은 모래보다 천천히 데워져 온도가 더 낮아요.

결과

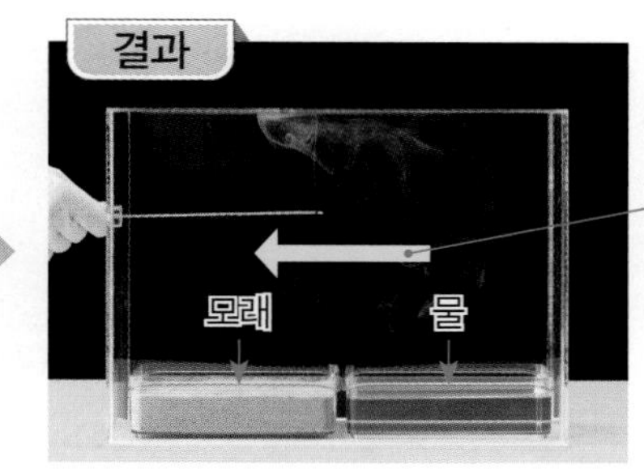

▲ 향 연기의 움직임 : 모래 쪽 ⬅ 물 쪽

향 연기가 수평 방향으로 이동하는 것은 바람이라고 할 수 있음.

향 연기가 움직이는 까닭은 물 위 공기가 고기압이 되고, 모래 위 공기가 저기압이 되기 때문이야.

해풍 — 바다에서 육지로 부는 바람

낮에 육지가 바다보다 온도가 높으므로 육지 위는 저기압, 바다 위는 고기압이 됨.

육풍 — 육지에서 바다로 부는 바람

밤에 바다가 육지보다 온도가 높으므로 바다 위는 저기압, 육지 위는 고기압이 됨.

바닷가에서 ❸(낮 / 밤)에는 바다에서 육지로, ❹(낮 / 밤)에는 육지에서 바다로 바람이 붑니다.

정답 ❶ 지면 ❷ 수면 ❸ 낮 ❹ 밤

개념 체크

정답과 풀이 6쪽

1 모래와 물 중 □□ 변화가 더 큰 것은 모래입니다.

2 낮에는 지면이 수면보다 □□□ 데워집니다.

3 바다에서 육지로 부는 바람은 □□입니다.

보기
- 육풍
- 해풍
- 색깔
- 온도
- 느리게
- 빠르게

개념 확인하기

○ 정답과 풀이 6쪽 빠른 정답 보기

[1~2] 다음은 모래와 물의 온도 변화 측정하기 실험의 모습입니다. 물음에 답하시오.

▲ 전등을 켰을 때

▲ 전등을 껐을 때

1 위 실험에서 물과 모래는 육지와 바다 중 각각 어느 것을 나타내는지 쓰시오.

(1) 물이 나타내는 것 : (　　　　　　　　)

(2) 모래가 나타내는 것 : (　　　　　　　　)

2 다음은 위 실험의 결과를 그래프로 나타낸 것입니다. ㉠, ㉡은 전등을 켰을 때와 전등을 껐을 때 중 각각 어느 것을 나타내는지 쓰시오.

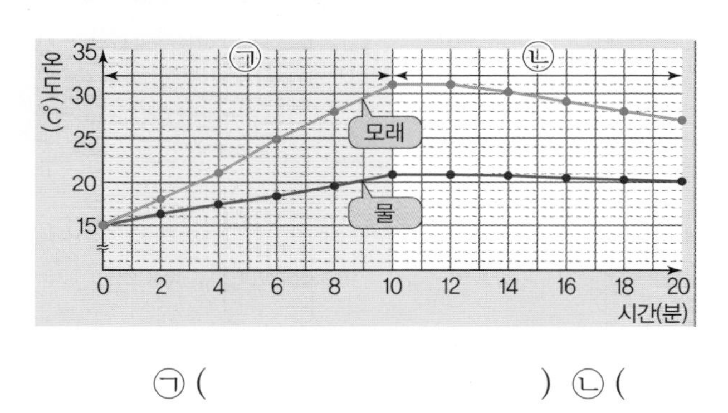

㉠ (　　　　　　　　) ㉡ (　　　　　　　　)

3 위 실험의 결과 전등을 켰을 때와 전등을 껐을 때 모래와 물의 온도 변화를 줄로 바르게 이으시오.

(1) 전등을 켰을 때 •　　　　• ㉠ 모래는 빨리 식고, 물은 천천히 식음.

(2) 전등을 껐을 때 •　　　　• ㉡ 모래는 빨리 데워지고 물은 천천히 데워짐.

4 오른쪽의 바람이 부는 방향을 관찰하는 실험의 결과에 대한 설명으로 옳지 않은 것을 다음 보기에서 골라 기호를 쓰시오.

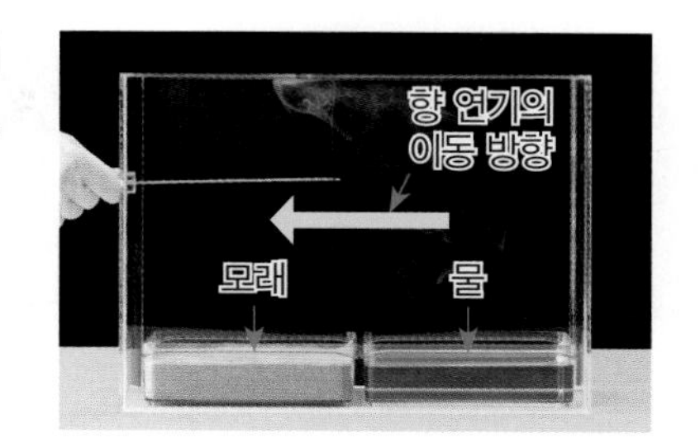

보기
- ㉠ 물은 모래보다 천천히 데워집니다.
- ㉡ 모래가 물보다 온도가 더 높습니다.
- ㉢ 물 위 공기는 저기압, 모래 위 공기는 고기압입니다.
- ㉣ 향 연기가 수평 방향으로 이동하는 것은 바람을 의미합니다.

( )

집중 연습 문제 해풍과 육풍

5 다음 낮과 밤의 바닷가의 모습에 바람이 부는 방향을 ← 또는 →로 각각 나타내시오.

▲ 낮

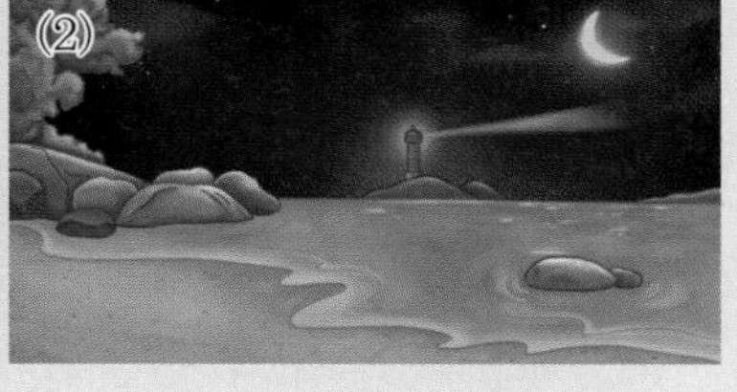

▲ 밤

- 낮 : 육지 ( ) 바다
- 밤 : 육지 ( ) 바다

6 다음은 해풍과 육풍에 대해 정리한 표입니다. 빈칸에 공통으로 들어갈 알맞은 말을 쓰시오.

구분		해풍	육풍
뜻		바다에서 육지로 부는 바람	육지에서 바다로 부는 바람
기압	육지 위	저기압	
	바다 위		저기압

( )

공기는 고기압에서 저기압으로 이동하는 것을 잊지 마.

4일 계절별 날씨와 우리 생활

마법으로 공기 덩어리를 움직일 수 있을까?

▸ 마법진 : 만화, 게임 등에서 마법이 담겨 있는 모양이나 그림

용어 체크

공기 덩어리(기단)

한 곳에 오래 머물러 기온과 습도가 일정해진 공기가 크게 뭉쳐져 이루어진 것

氣	團
공기	덩어리
기	단

예 춥고 건조한 대륙을 오랫동안 덮고 있는 ❶ (   ) 은/는 차갑고 건조한 성질을 가진다.

정답 ❶ 공기 덩어리(기단)

불쾌지수가 높을 때는 춤을 춰요.

용어 체크

자외선 지수

하루 중 태양이 가장 높이 떠 있을 때 지표면에 도달하는 자외선량을 수로 나타낸 것

예 햇빛이 강한 여름 낮에는 외출하기 전에 ❶ [ ] 지수를 확인해 보면 좋다.

불쾌지수

날씨에 따라서 사람이 불쾌감을 느끼는 정도를 수로 나타낸 것

예 후덥지근한 날에는 ❷ [ ] 가 높다.

정답 ❶ 자외선 ❷ 불쾌지수

4일 개념 익히기

1 우리나라의 계절별 날씨는 어떠할까?

공기 덩어리(기단)

대륙이나 바다와 같이 넓은 곳을 덮고 있는 공기 덩어리가 한 지역에 오랫동안 머물게 되면 그 지역의 온도나 습도와 비슷한 성질을 갖게 돼요.

▲ 춥고 건조한 지역의 공기 덩어리는 차갑고 건조한 성질이 있음.

▲ 따뜻하고 습한 지역의 공기 덩어리는 따뜻하고 습한 성질이 있음.

우리나라의 계절별 날씨에 영향을 미치는 공기 덩어리

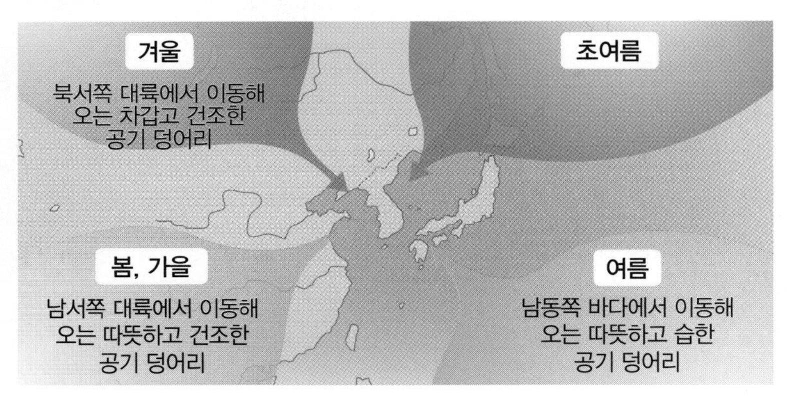

봄 · 가을
남서쪽에서 이동해 오는 공기 덩어리의 영향으로 따뜻하고 건조함.

여름
남동쪽에서 이동해 오는 공기 덩어리의 영향으로 덥고 습함.

겨울
북서쪽에서 이동해 오는 공기 덩어리의 영향으로 춥고 건조함.

☑ 우리나라의 계절별 날씨는 주변 지역에서 이동해 오는 [1](토양 / 공기 덩어리)의 영향으로 계절별로 서로 다른 특징이 있습니다.

2 날씨는 우리 생활에 어떤 영향을 미칠까?

날씨와 우리 생활의 관계

맑고 따뜻한 날

▲ 간편한 옷차림을 하고, 야외 활동을 주로 함.

춥고 눈 내리는 날

▲ 두꺼운 옷을 입고 실내 활동을 주로 함.

황사, 미세먼지 많은 날

▲ 야외 활동을 자제하고 외출할 때는 마스크를 착용함.

꽃가루나 황사가 많은 봄에는 비염에 걸리기 쉬워.

덥고 습한 날씨에 오랫동안 야외 활동을 하면 열사병이나 탈진이 올 수 있어.

춥고 건조한 날이 계속되면 감기에 걸리기 쉬워.

여러 가지 날씨 지수

자외선 지수, 식중독 지수 등도 있어요.

- 감기 가능 지수 : 기상 조건에 따른 감기 발생 가능 정도를 단계별로 나타낸 것
- 불쾌지수 : 날씨에 따라서 사람이 불쾌감을 느끼는 정도를 단계별로 나타낸 것

날씨는 사람들의 옷차림, 음식, 야외 활동 등에 영향을 ❷(미칩 / 미치지 않습)니다.

정답 ❶ 공기 덩어리 ❷ 미칩

개념 체크

정답과 풀이 6쪽

1 춥고 건조한 지역의 공기 덩어리는 차갑고 ☐☐한 성질이 있습니다.

2 우리나라는 ☐☐에 남동쪽에서 이동해 오는 공기 덩어리의 영향으로 덥고 습합니다.

3 춥고 건조한 날이 계속되면 ☐☐에 걸릴 수 있습니다.

보기
- 감기
- 탈진
- 겨울
- 여름
- 건조
- 다습

4일 개념 확인하기

○ 정답과 풀이 6쪽 빠른 정답 보기

1 다음 중 따뜻하고 습한 성질이 있는 공기 덩어리의 기호를 쓰시오.

㉠

▲ 춥고 건조한 지역

㉡

▲ 덥고 습한 지역

( )

2 다음은 공기 덩어리에 대한 설명입니다. □ 안에 들어갈 알맞은 말을 쓰시오.

대륙이나 바다와 같이 넓은 곳을 덮고 있는 공기 덩어리가 한 지역에 오랫동안 머물게 되면 공기 덩어리는 그 지역의 온도나 습도와 □ 성질을 갖게 됩니다.

( )

3 다음 날씨와 우리 생활의 모습을 줄로 바르게 이으시오.

(1) 맑고 따뜻한 날 •

(2) 춥고 눈이 내리는 날 •
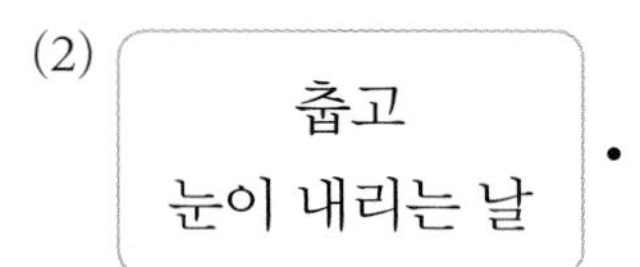

• ㉠

▲ 두꺼운 옷을 입고 실내 활동을 주로 함.

• ㉡

▲ 간편한 옷차림을 하고, 야외 활동을 주로 함.

4 다음은 날씨와 우리 생활에 대한 설명입니다. 옳은 것에는 ○표, 옳지 않은 것에는 ×표를 하시오.

(1) 꽃가루나 황사가 많은 봄에는 비염에 걸리기 쉽습니다. (　　　)
(2) 춥고 건조한 날이 계속되면 열사병이나 탈진이 올 수 있습니다. (　　　)
(3) 덥고 습한 날씨에 오랫동안 야외 활동을 하면 감기에 걸리기 쉽습니다. (　　　)

집중 연습 문제 우리나라에 영향을 미치는 공기 덩어리

5 다음은 우리나라에 영향을 주는 공기 덩어리에 대한 설명입니다. ㉠, ㉡에 들어갈 알맞은 계절을 각각 쓰시오.

> [㉠]에는 북서쪽 대륙에서 이동해 오는 차갑고 건조한 공기 덩어리의 영향을 받고, [㉡]에는 남동쪽 바다에서 이동해 오는 따뜻하고 습한 공기 덩어리의 영향을 받습니다.

㉠ (　　　　　　　　) ㉡ (　　　　　　　　)

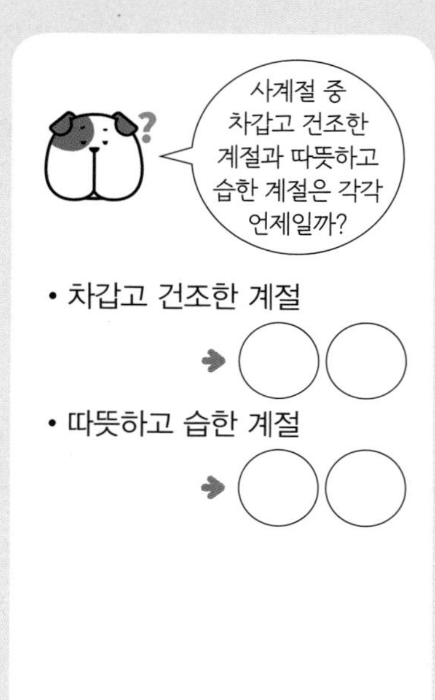

6 다음 중 ㉠ 공기 덩어리에 대한 설명으로 옳은 것을 두 가지 고르시오. (　　　,　　　)

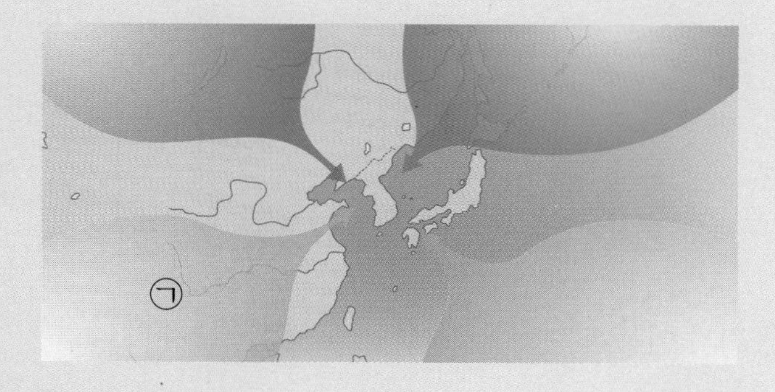

① 차갑고 건조하다.
② 따뜻하고 습하다.
③ 따뜻하고 건조하다.
④ 우리나라 여름 날씨에 영향을 미친다.
⑤ 우리나라 봄, 가을 날씨에 영향을 미친다.

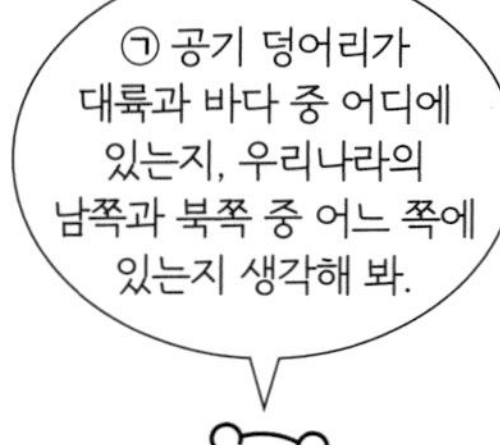

5일 2주 마무리하기 핵심

1 습도 / 이슬과 안개

습도가 높으면 음식물이 부패하기 쉽고, 습도가 낮으면 감기에 걸리기 쉬워.

① **습도 :** 공기 중에 수증기가 포함된 정도

② **습도 구하는 방법 :** ㉠ 건구 온도 : 15℃, 습구 온도 : 13℃일 때

(단위 : %)

건구 온도 (℃)	건구 온도와 습구 온도의 차(℃)			
	0	1	❷ 2	3
14	100	90	79	70
❶ 15	100	90	80 ❸	71
16	100	90	81	71

건구 온도인 15 ℃를 세로 줄에서 찾기

건구 온도와 습구 온도의 차(15 ℃ - 13 ℃ = 2 ℃)를 구해 가로줄에서 찾기

❶과 ❷가 만나는 지점을 찾기 ➡ 현재 습도 : 80 %

③ **이슬과 안개**

이슬	밤에 차가워진 나뭇가지나 풀잎 표면 등에 수증기가 응결해 물방울로 맺히는 것
안개	밤에 지표면 근처의 공기가 차가워지면서 공기 중 수증기가 응결해 작은 물방울로 떠 있는 것

2 구름 / 고기압과 저기압

구름 속 물방울이나 얼음 알갱이가 떨어지면서 녹으면 비가 돼.

① **구름이 만들어지는 과정 :** 공기가 지표면에서 하늘로 올라가면서 부피가 점점 커지고 온도는 점점 낮아집니다. 이때 공기 중 수증기가 응결해 물방울이 되거나 얼음 알갱이 상태로 변해 하늘에 떠 있는 것을 구름이라고 합니다.

② **고기압과 저기압**

일정한 부피에 공기 알갱이가 더 많아 상대적으로 공기가 무거운 것

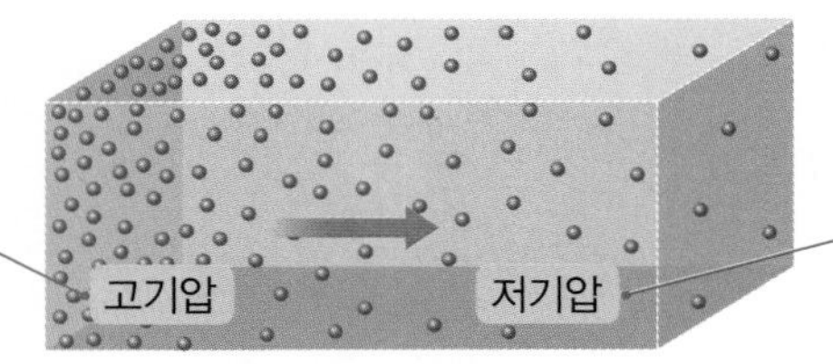

일정한 부피에 공기 알갱이가 더 적어 상대적으로 공기가 가벼운 것

▲ 공기(바람)는 고기압에서 저기압으로 이동함.

③ **바람 :** 기압 차로 공기가 이동하는 것

3 해풍과 육풍

① **하루 동안 지면과 수면의 온도 변화 :** 하루 동안 지면은 빠르게 데워지고 빠르게 식지만, 수면은 천천히 데워지고 천천히 식습니다.

② 해풍과 육풍

▲ 해풍 : 바다에서 육지로 부는 바람

▲ 육풍 : 육지에서 바다로 부는 바람

4 계절별 날씨와 우리 생활

공기 덩어리가 한 지역에 오랫동안 머물게 되면 그 지역의 온도나 습도와 비슷한 성질을 갖게 돼.

① 우리나라의 계절별 날씨와 영향을 주는 공기 덩어리

봄, 가을	남서쪽에서 이동해 오는 공기 덩어리의 영향으로 따뜻하고 건조함.
여름	남동쪽에서 이동해 오는 공기 덩어리의 영향으로 덥고 습함.
겨울	북서쪽에서 이동해 오는 공기 덩어리의 영향으로 춥고 건조함.

② 날씨와 우리 생활의 관계

- 맑고 따뜻한 날 : 간편한 옷차림을 하고, 야외 활동을 주로 함.
- 춥고 눈이 내리는 날 : 두꺼운 옷을 입고 실내 활동을 주로 함.
- 황사, 미세 먼지가 많은 날 : 야외 활동을 자제하고, 외출할 때는 마스크를 착용함.

자, 퀴즈!
낮에 바닷가에서 해풍과 육풍 중 어느 것이 불까?

너무 쉽잖아. 당연히 해풍이지.
낮에 육지가 바다보다 온도가 높기 때문이잖아.

그런데 바람은 고기압에서 저기압으로 부는 거 아니야?

맞아. 낮에는 육지가 빨리 데워져 육지 위는 저기압, 바다 위는 고기압이 돼.

1일 습도 / 이슬과 안개

1 오른쪽 건습구 습도계에서 ㉠은 건구 온도계와 습구 온도계 중 어느 것인지 쓰시오.

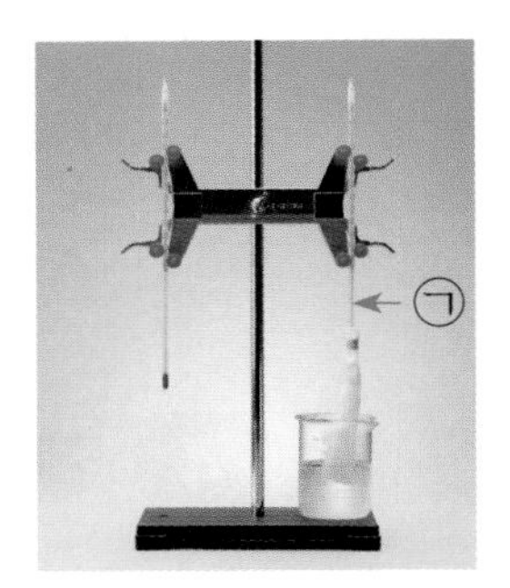

( )

2 다음은 습도가 낮을 때에 대한 내용입니다. □ 안에 들어갈 알맞은 말을 쓰시오.

> 습도가 낮을 때는 □에 걸리거나 산불이 발생하기 쉬우며, 빨래가 잘 마르고, 피부가 건조해집니다.

( )

3 다음 중 이슬이 생기는 원인과 관계있는 현상은 어느 것입니까? ( )

① 끓음
② 녹음
③ 얼음
④ 응결
⑤ 증발

4 오른쪽은 집기병 안을 데운 뒤, 조각 얼음이 담긴 페트리 접시를 올린 집기병 안의 변화를 관찰한 모습입니다. 이 실험 결과와 비슷한 자연 현상은 무엇인지 쓰시오.

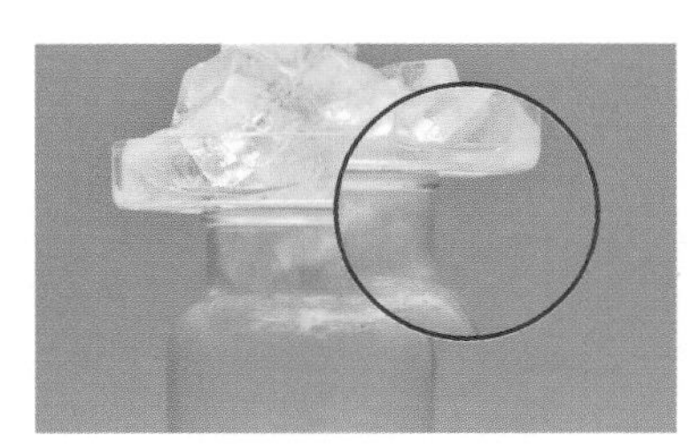
▲ 집기병 안이 뿌옇게 흐려짐.

( )

빠른 정답 보기
정답과 풀이 7쪽

2일 구름 / 고기압과 저기압

5 오른쪽은 페트병 안에 공기를 계속 넣고 온도가 더 이상 변하지 않을 때 공기 주입 마개의 뚜껑을 연 모습입니다. 이때 페트병 안에서 나타나는 현상으로 옳은 것을 다음 보기에서 골라 기호를 쓰시오.

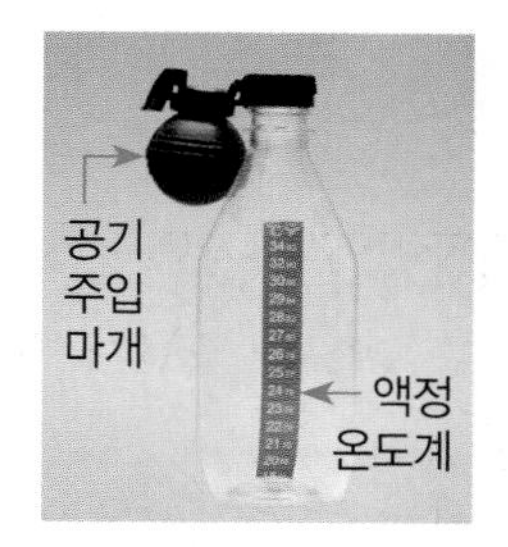

보기
㉠ 페트병 안이 맑아집니다.
㉡ 페트병 안 온도가 높아집니다.
㉢ 페트병 안이 뿌옇게 흐려집니다.

( )

서술형

6 다음은 오른쪽의 구름이 만들어지는 과정입니다. □ 안에 들어갈 알맞은 말을 쓰시오.

공기는 지표면에서 하늘로 올라가면서 부피가 점점 커지고 온도는 점점 낮아집니다. 이때 □을/를 구름이라고 합니다.

7 오른쪽과 같이 기압 차로 공기가 이동하는 것을 무엇이라고 하는지 쓰시오.

( )

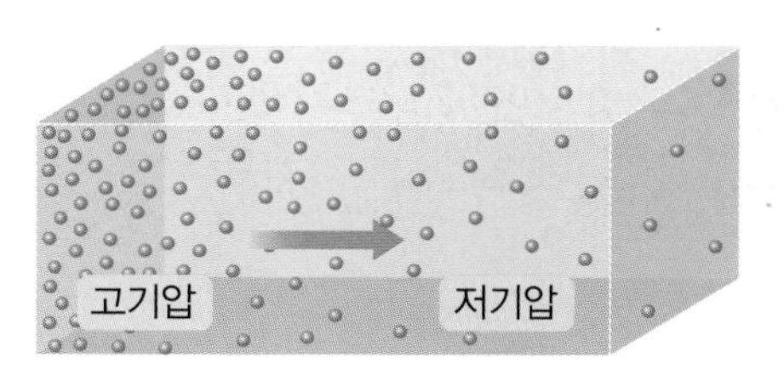

2주

3일 해풍과 육풍

8 모래와 물의 온도 변화의 크고 작음을 ＞, ＜를 이용하여 비교하시오.

물의 온도 변화		모래의 온도 변화

9 다음 중 낮과 밤의 하루 동안 지면과 수면의 온도 변화에 대한 설명으로 옳지 않은 것은 어느 것입니까? (　　　　)

① 밤에는 지면이 수면보다 빠르게 식는다.
② 낮에는 지면이 수면보다 빠르게 데워진다.
③ 낮에는 지면의 온도가 수면의 온도보다 높다.
④ 밤에는 지면의 온도가 수면의 온도보다 낮다.
⑤ 지면과 수면은 낮과 밤에 온도가 항상 같다.

10 오른쪽에서 바닷가에서 밤에 부는 바람의 방향으로 옳은 것을 골라 기호를 쓰시오.

(　　　　　　　　)

11 위 **10**번에서 부는 바람을 무엇이라고 합니까? (　　　　)

① 남풍　　② 북풍
③ 육풍　　④ 해풍
⑤ 남동풍

4일 계절별 날씨와 우리 생활

12 다음 우리나라의 계절과 날씨에 영향을 미치는 공기 덩어리를 줄로 바르게 이으시오.

(1) 겨울 •　　　　• ㉠ 남동쪽에서 이동해 오는 공기 덩어리

(2) 여름 •　　　　• ㉡ 북서쪽에서 이동해 오는 공기 덩어리

13 다음은 날씨와 생활에 대한 내용입니다. (　　) 안의 알맞은 말에 각각 ○표를 하시오.

맑고 (추운 / 따뜻한) 날에는 간편한 옷차림을 하고 야외 활동을 주로 하고, (춥고 / 따뜻하고) 눈이 내리는 날에는 두꺼운 옷을 입고 실내 활동을 주로 합니다.

똑똑한 하루 퀴즈

14 다음 십자말풀이를 해 보세요.

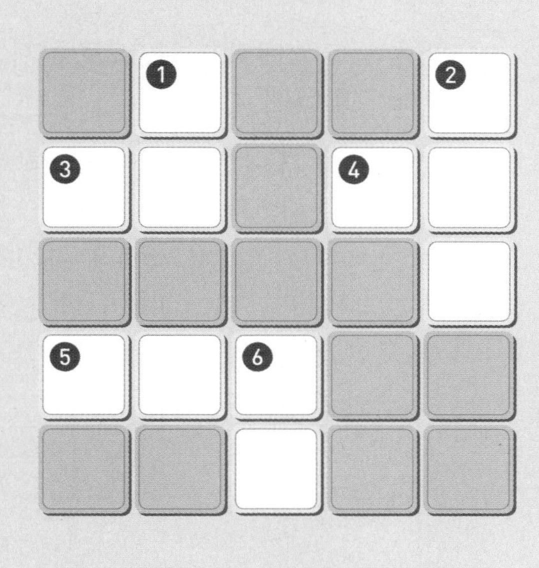

가로

❸ 육지에서 바다로 부는 바람

❹ 따뜻하고 습한 지역의 □□ 덩어리는 따뜻하고 습한 성질을 가짐.

❺ 구름 속 얼음 □□□가 녹지 않고 떨어지면 눈이 됨.

세로

❶ 바다에서 육지로 부는 바람

❷ 상대적으로 공기가 가벼운 것

❻ 밤에 차가워진 풀잎 표면 등에 수증기가 응결해 물방울로 맺히는 것

2주 누구나 100점 TEST

맞은 개수 /10개

1 다음에서 설명하는 것은 무엇입니까? ( )

공기 중에 수증기가 포함된 정도입니다.

① 각도 ② 경도
③ 속도 ④ 습도
⑤ 온도

2 건구 온도가 15 ℃이고, 습구 온도가 14 ℃일 때, 다음 습도표를 이용하여 습도를 구하시오.

(단위 : %)

건구 온도 (℃)	건구 온도와 습구 온도의 차(℃)			
	0	1	2	3
14	100	90	79	70
15	100	90	80	71
16	100	90	81	71

( ) %

3 다음 이슬과 안개에 대한 설명에서 □ 안에 공통으로 들어갈 말을 쓰시오.

이슬	밤에 차가워진 나뭇가지나 풀잎 표면 등에 수증기가 □해 물방울로 맺히는 것
안개	밤에 지표면 근처의 공기가 차가워지면서 공기 중 수증기가 □해 작은 물방울로 떠 있는 것

( )

4 다음은 페트병 안에 공기를 계속 넣고 온도가 더 이상 변하지 않을 때 공기 주입 마개의 뚜껑을 연 모습입니다. 이 실험 결과와 비슷한 자연 현상은 어느 것입니까? ( )

① 눈 ② 비
③ 구름 ④ 바람
⑤ 가뭄

5 다음 중 기압에 대한 설명으로 옳지 않은 것은 어느 것입니까? ( )

① 공기의 무게로 생기는 누르는 힘을 기압이라고 한다.
② 고기압은 일정한 부피에 공기 알갱이가 많아 무거운 것이다.
③ 저기압은 일정한 부피에 공기 알갱이가 적어 가벼운 것이다.
④ 고기압과 저기압 중 상대적으로 더 무거운 것은 저기압이다.
⑤ 두 지점에 기압 차가 생기면 공기는 고기압에서 저기압으로 이동한다.

6 다음과 같이 장치한 뒤 전등을 켰을 때와 껐을 때의 모래와 물의 온도를 측정하는 실험을 하였습니다. 모래, 물, 전등이 각각 나타내는 것을 보기에서 찾아 쓰시오.

보기

바다 바람 육지 지구 태양

(1) 물 : ( )
(2) 모래 : ( )
(3) 전등 : ( )

7 다음 그래프에 대한 설명으로 옳은 것은 어느 것입니까? ( )

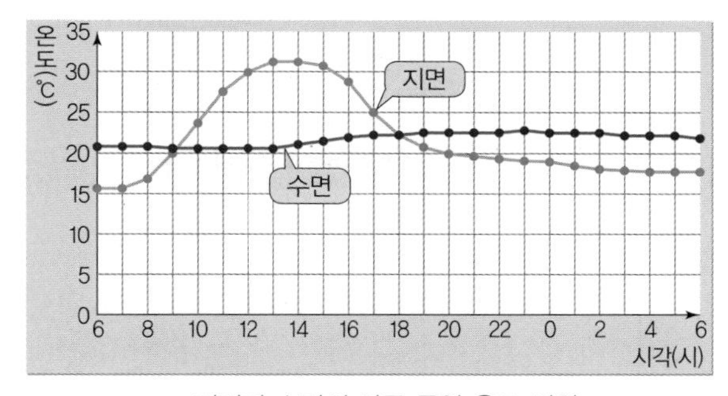

▲ 지면과 수면의 하루 동안 온도 변화

① 수면은 지면보다 빠르게 식는다.
② 지면과 수면의 온도 변화는 같다.
③ 지면은 수면보다 천천히 데워진다.
④ 낮에는 수면의 온도가 지면의 온도보다 높다.
⑤ 밤에는 지면의 온도가 수면의 온도보다 낮다.

8 다음 중 우리나라의 봄, 가을 날씨에 영향을 미치는 공기 덩어리를 골라 기호를 쓰시오.

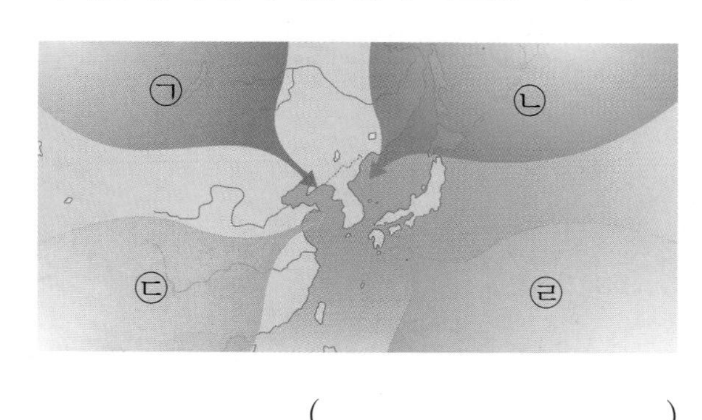

( )

9 다음 날씨와 우리 생활의 관계를 줄로 바르게 이으시오.

(1) 춥고 눈이 내리는 날 • • ㉠ 두꺼운 옷을 입고 실내 활동을 주로 함.

(2) 황사나 미세 먼지가 많은 날 • • ㉡ 외출할 때는 마스크를 착용함.

10 다음 중 기상 조건에 따른 감기 발생 가능 정도를 단계별로 나타낸 것을 무엇이라고 합니까? ( )

① 불쾌지수 ② 식중독 지수
③ 자외선 지수 ④ 감기 가능 지수
⑤ 피부 질환 지수

창의·융합·코딩

2주 특강 생활 속 과학

계절별 날씨를 통해 우리나라에 영향을 미치는 공기 덩어리에 대해 알아봅니다.

우리나라에 영향을 미치는 공기 덩어리

여러분, 가을이 왔습니다.

안녕하십니까, 날씨를 전해 드리겠습니다.

이번 주부터 완연한 가을이 된 것 같습니다. 제 뒤로 보이는 것과 같이 공원으로 나들이 나오신 분들이 많이 있습니다.

지난주까지 우리를 힘들게 했던 더위는 이제 물러갔고, 우리나라 남서쪽에서 이동해 오는 공기 덩어리의 영향으로 맑은 하늘과 함께 건조한 날씨가 한동안 이어지겠습니다.

아침과 저녁 큰 일교차에 유의해 주시고, 건강한 생활하시기 바랍니다. 이상 오늘의 날씨를 전해드렸습니다. 감사합니다.

1 다음은 우리나라에 영향을 주는 공기 덩어리에 대해 그림과 글로 나타낸 것이에요. 내용에 해당하는 공기 덩어리에 각각 번호를 쓰세요.

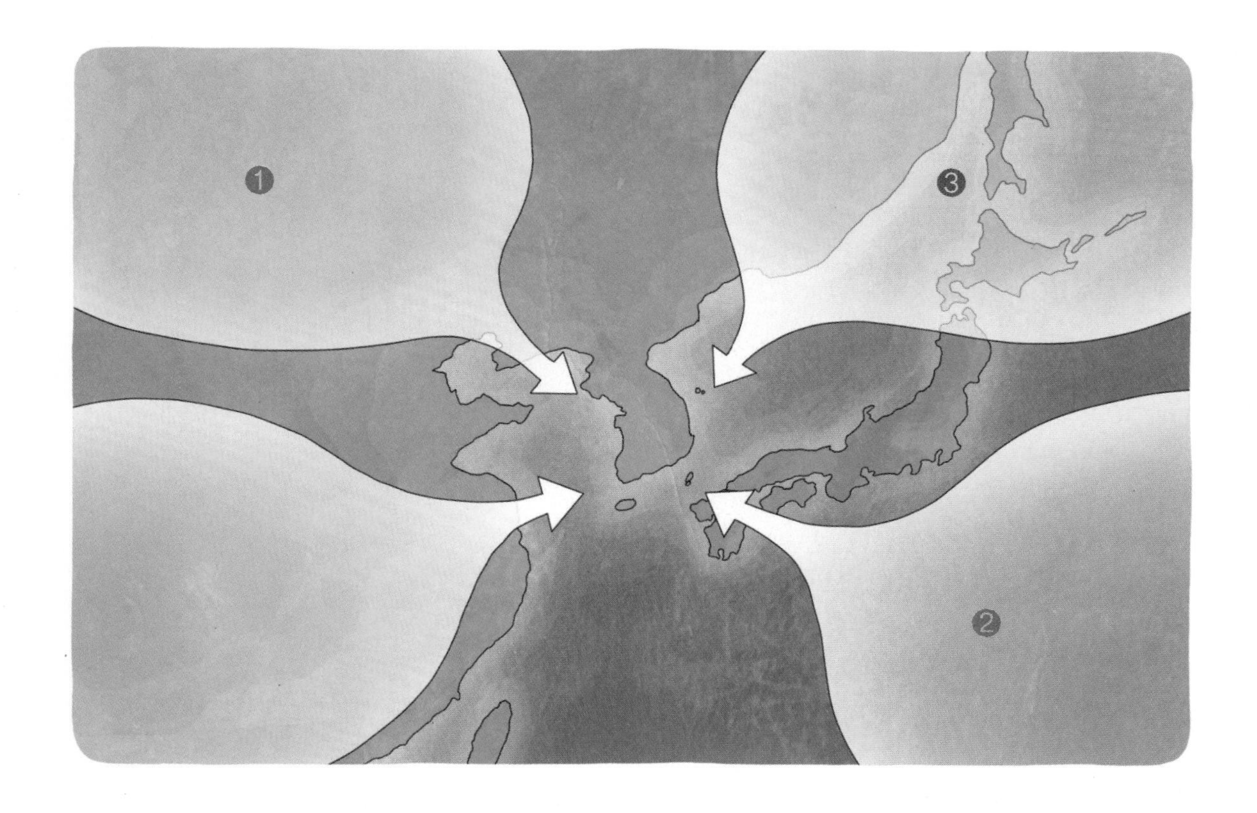

❶ 우리나라의 겨울 날씨에 영향을 주는 공기 덩어리임.

❷ 우리나라의 여름 날씨에 영향을 주는 공기 덩어리임.

❸ 우리나라의 초여름 날씨에 영향을 주는 공기 덩어리임.

❹ 우리나라의 봄, 가을 날씨에 영향을 주는 공기 덩어리임.

❺ 북서쪽 대륙에서 이동해 오며 차갑고 건조한 성질을 가졌음.

❻ 남서쪽 대륙에서 이동해 오며 따뜻하고 건조한 성질을 가졌음.

❼ 남동쪽 바다에서 이동해 오며 따뜻하고 습한 성질을 가졌음.

우리나라의 날씨는 주변 지역에서 이동해 오는 공기 덩어리의 영향을 받아.

창의·융합·코딩

2주 특강 사고 쑥쑥

문제를 풀고 길을 따라 가면서 바닷가에서 바람이 부는 방향에 대해 알아봅니다.

2 다음 여행에서 각 문제에 알맞은 낱말을 고르면서 길을 따라가 여행의 최종 목적지에 ○표를 하세요.

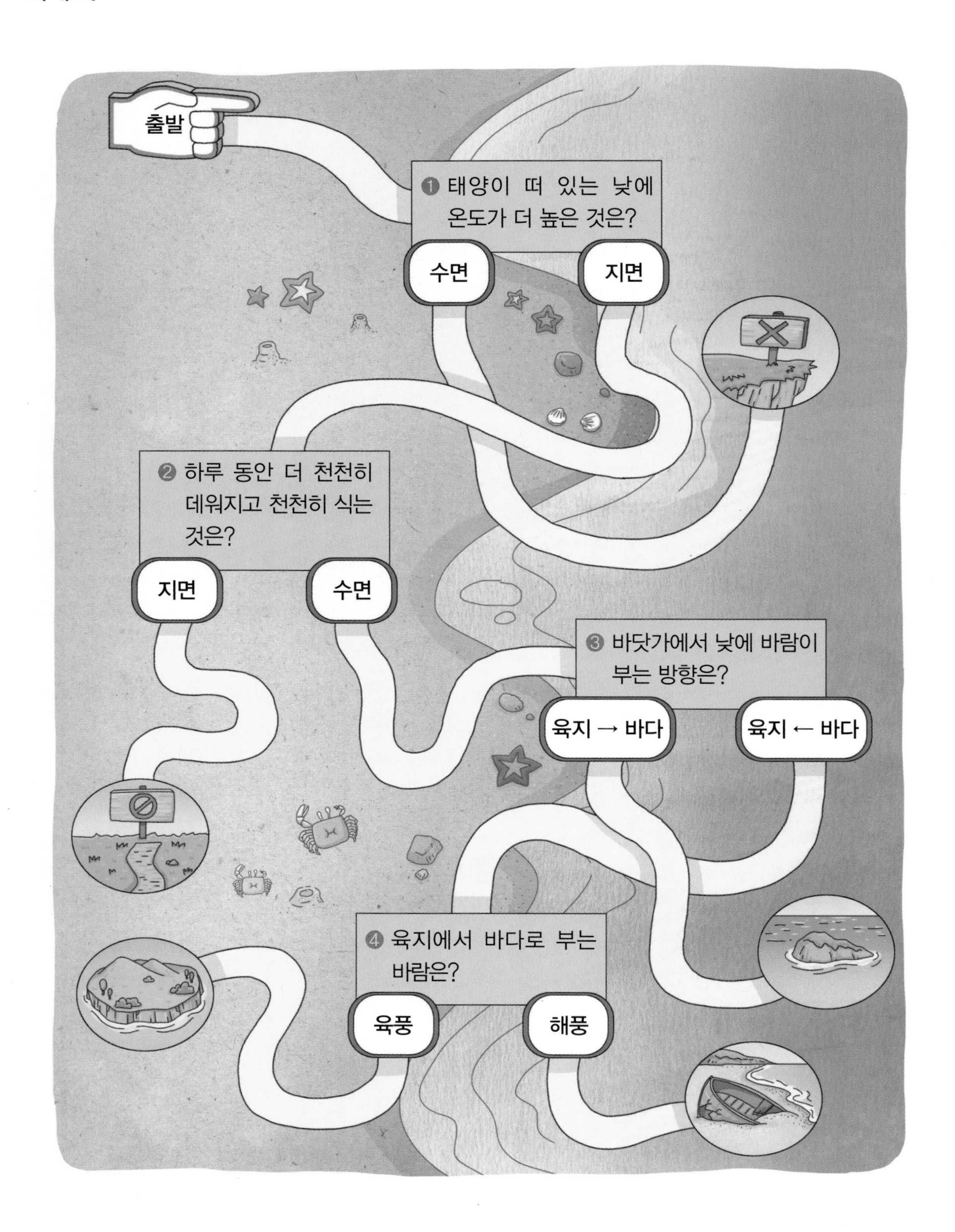

기압과 관계있는 용어의 뜻을 알아봅니다.

3 다음에서 각 용어의 뜻을 나타내는 순서대로 구름 징검다리 밟으며 건너서 도착점까지 선을 그려 보세요.

2주

논리 탄탄

날씨와 우리 생활에 대한 내용의 옳고 그름을 판단하여 출구를 찾아봅니다.

4 윤미가 미로 방에 들어왔어요. 내용이 옳으면 오른쪽으로 이동, 옳지 않으면 아래쪽으로 이동하여 도착한 문의 번호를 쓰세요.

(　　　　　　　　　　)

다음 각 물음에 답하면서 기준에 따라 이슬, 안개, 비, 눈을 분류해 봅니다.

5 하디와 이지가 이슬, 안개, 비, 눈을 특징에 따라 분류하려고 해요. ❶~❸에 들어갈 알맞은 말은 어느 것인지 각각 쓰세요.

❶ (　　　　　　　　) ❷ (　　　　　　　　) ❸ (　　　　　　　　)

2주

3주 물체의 운동

3주에는 무엇을 공부할까? 1

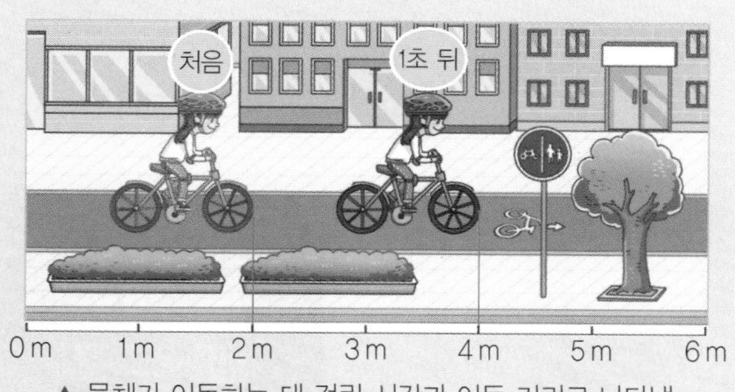

▲ 물체가 이동하는 데 걸린 시간과 이동 거리로 나타냄.

자전거는 1초 동안 2 m를 이동했어.

물체의 운동

물체의 운동 나타내기

물체의 빠르기 비교

일정한 거리를 이동한 물체의 빠르기

물체가 이동하는 데 걸린 시간으로 비교함.

일정한 시간 동안 이동한 물체의 빠르기

물체가 이동한 거리로 비교함.

물체의 속력

속력의 단위에는 km/h, m/s 등이 있어.

▲ 속력은 물체가 이동한 거리를 걸린 시간으로 나누어 구함.

이동하는 데 걸린 시간과 이동 거리가 모두 다른 물체의 빠르기는 속력을 구해서 비교할 수 있다는 것을 꼭 기억해!

3주 핵심 용어
3주에는 무엇을 공부할까? ❷

물체의 운동

뜻 **시간이 지남에 따라 물체의 위치가 변하는 것**

예 꼬투리에서 튀어 나온 씨는 시간이 지남에 따라 위치가 변하므로 **운동**하는 물체예요.

물체의 빠르기

뜻 **물체에 따라 빠르기가 다르며, 빠르기가 변하는 운동을 하는 물체가 있고 빠르기가 일정한 운동을 하는 물체도 있음.**

예 짚라인을 타고 경사진 곳을 내려갈수록 **빠르기**가 점점 빨라져요.

물체의 운동은 물체가 이동하는 데 걸린 시간과 이동 거리로 나타내.

일정한 거리를 이동한 물체의 빠르기

뜻 **물체가 이동하는 데 걸린 시간으로 빠르기를 비교함.**

예 100 m 달리기와 수영 경기는 **일정한 거리를 이동**하는 데 걸린 시간을 측정해 **빠르기**를 비교해요.

일정한 시간 동안 이동한 물체의 빠르기

뜻 **일정한 시간 동안 물체가 이동한 거리로 빠르기를 비교함.**

예 **일정한 시간 동안 이동한** 거리가 긴 교통수단일수록 **빠르기**가 더 빨라요.

물체의 운동과 관련된 다양한 용어가 있어. 특히 물체의 운동, 물체의 빠르기, 속력 등의 용어는 꼭 기억해!

속력

速 力
빠를 속 힘 력

뜻 **1초, 1분, 1시간 등과 같은 단위 시간 동안 물체가 이동한 거리**

예 40 km/h는 1시간 동안 40 km를 이동한 물체의 **속력**을 나타내요.

에어백

air bag

뜻 **자동차가 충돌할 때 공기주머니가 부풀어 나와 탑승자의 충격을 줄여주는 안전장치**

예 **에어백**은 처음에는 운전자만 보호했지만, 이제는 탑승자 모두의 안전을 고려해 다양한 위치에 장치해요.

과속 방지 턱

過 速
지날 과 빠를 속

뜻 **자동차의 주행 속력을 강제로 줄이기 위해 도로에 설치한 턱**

예 도로에 **과속 방지 턱**을 설치해 교통 안전사고의 피해를 줄여요.

3주

1일 물체의 운동

동글이가 순간 이동을 해!

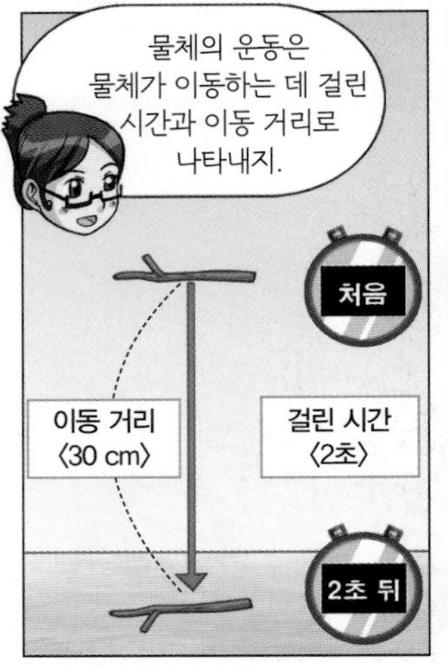

용어 체크

물체의 운동

시간이 지남에 따라 물체의 위치가 변하는 것

예 우리 주변에 있는 여러 가지 물체의 ❶ [ ] 은 이동하는 데 걸린 시간과 이동 거리로 나타낼 수 있다.

▲ 운동하는 자동차

정답 ❶ 운동

마법 세계 생물인 걸 들키면 안 돼!

용어 체크

물체의 빠르기

물체에 따라 빠르기가 다르며, 빠르기가 변하는 운동을 하는 물체가 있고 빠르기가 일정한 운동을 하는 물체도 있음.

예 펭귄은 땅 위에서는 천천히 걷지만 물속에서는 ❶ [ ] 헤엄친다.

▲ 물속에서 헤엄치는 펭귄

정답 ❶ 예 빠르게

1 물체의 운동은 어떻게 나타낼까?

물체의 운동

시간이 지남에 따라 물체의 위치가 변할 때 물체가 **운동**한다고 함.

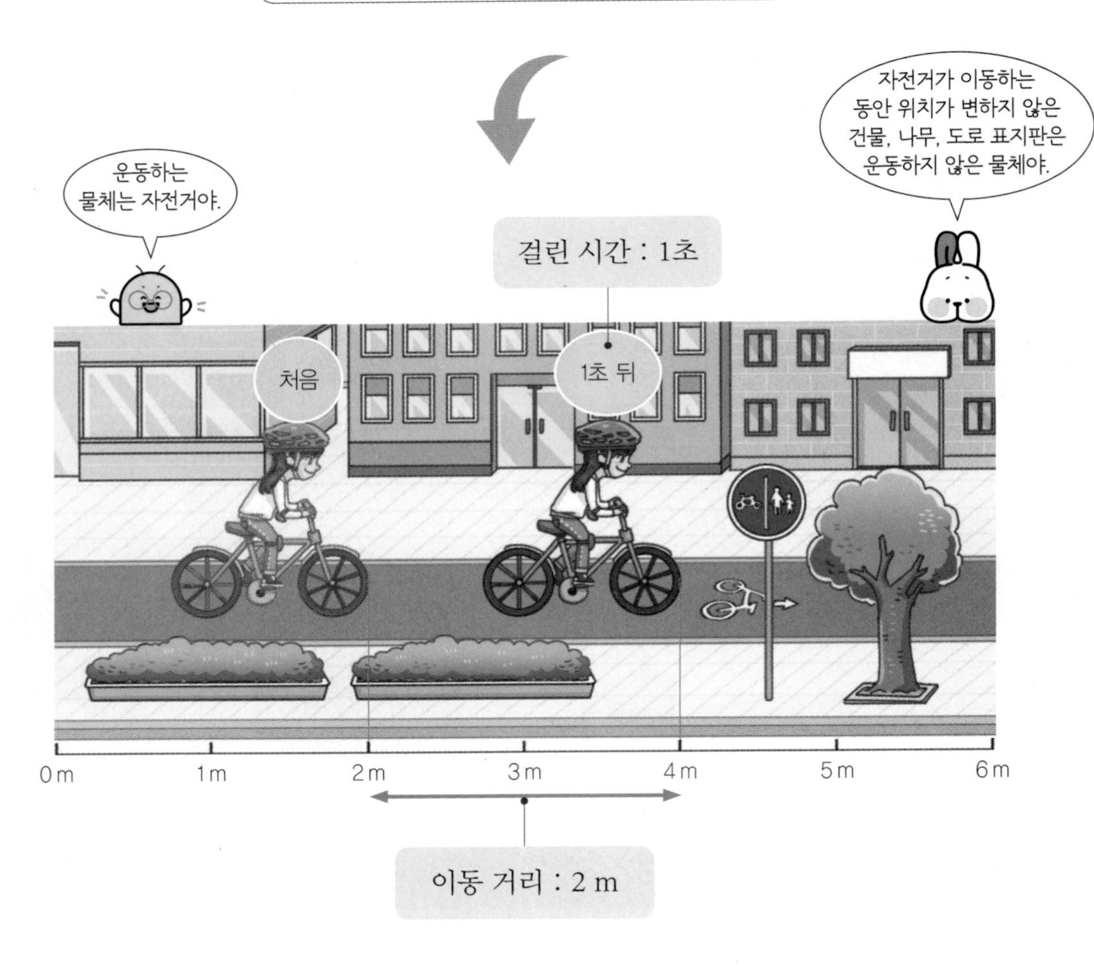

물체의 운동 나타내기

물체가 이동하는 데 **걸린 시간과 이동 거리**로 나타냄.

자전거는 1초 동안 2 m를 이동했습니다.

물체의 운동은 물체가 이동하는 데 걸린 시간과 [1](빠르기 / 이동 거리)로 나타냅니다.

2 여러 가지 물체의 운동은 어떻게 다를까?

물체의 빠르기 비교하기

우리 주변에는 빠르게 운동하는 물체와 느리게 운동하는 물체가 있음.

여러 가지 물체의 운동

빠르기가 변하는 운동을 하는 물체

- 물체의 빠르기가 변한다는 의미 : 물체가 빨라지거나 느려지는 것을 말함.
- 종류 : 롤러코스터, 자동차, 축구공, 비행기, 바이킹, 배드민턴공 등

롤러코스터 : 내리막길에서 점점 빨라지고 오르막길에서 점점 느려지는 운동을 함.

빠르기가 일정한 운동을 하는 물체

- 물체의 빠르기가 일정하다는 의미 : 물체의 빠르기가 변하지 않음을 말함.
- 종류 : 자동계단, 자동길, 스키장 승강기, 케이블카 등

자동계단 : 위층이나 아래층으로 이동하는 동안 빠르기가 일정한 운동을 함.

롤러코스터는 빠르기가 ❷(변하는 / 일정한) 운동을 하지만, 자동계단은 빠르기가 ❸(변하는 / 일정한) 운동을 합니다.

정답 ❶ 이동 거리 ❷ 변하는 ❸ 일정한

개념 체크

정답과 풀이 9쪽

1 시간이 지남에 따라 물체의 위치가 변할 때 물체가 □□한다고 합니다.

2 로켓과 달팽이 중 □□게 운동하는 물체는 로켓입니다.

3 빠르기가 일정한 운동을 하는 물체는 □□□입니다.

보기
- 정지
- 운동
- 빠르
- 느리
- 자동차
- 자동길

개념 확인하기

정답과 풀이 9쪽

1 다음은 물체의 운동을 1초 간격으로 나타낸 그림입니다. 운동하는 물체는 어느 것입니까? ( )

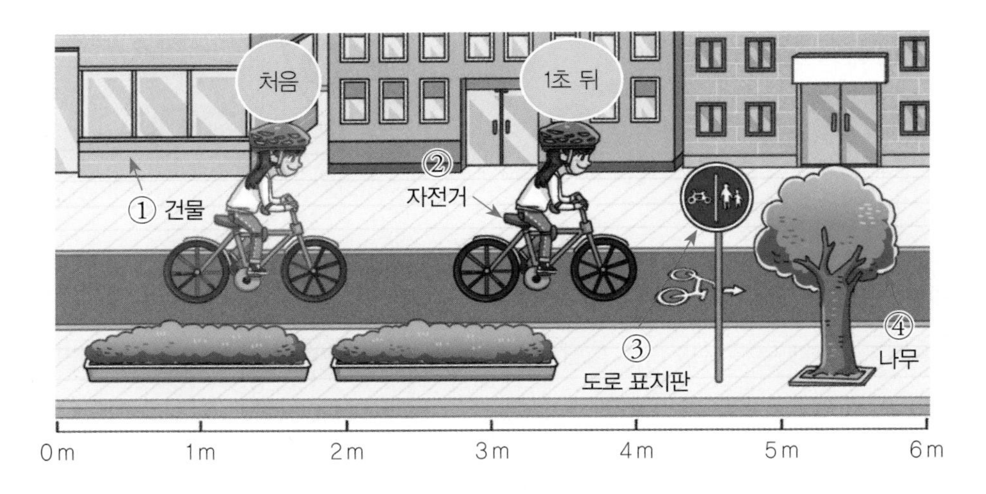

2 다음을 읽고 물체의 운동에 대한 설명으로 옳은 것에는 ○표, 옳지 않은 것에는 ×표를 하시오.

(1) 시간이 지나도 제자리에 있는 물체는 운동하지 않은 물체입니다. ( )

(2) 시간이 지남에 따라 물체의 색깔이 변할 때 물체가 운동한다고 합니다. ( )

(3) 물체의 운동은 물체가 이동하는 데 걸린 시간과 이동 거리로 나타냅니다. ( )

3 다음을 빠르게 운동하는 물체와 느리게 운동하는 물체에 맞게 줄로 바르게 이으시오.

(1) 
▲ 달팽이 •

(2) ▲ 로켓 •

• ㉠ 빠르게 운동하는 물체

• ㉡ 느리게 운동하는 물체

4 다음 보기에서 빠르기가 변하는 운동을 하는 물체끼리 바르게 짝지은 것은 어느 것입니까?
( )

보기
㉠ 축구공 ㉡ 비행기 ㉢ 케이블카 ㉣ 스키장 승강기

① ㉠, ㉡
② ㉠, ㉢
③ ㉡, ㉢
④ ㉡, ㉣
⑤ ㉢, ㉣

5 다음은 오른쪽 롤러코스터의 운동에 대한 설명입니다. ( ) 안에 들어갈 알맞은 말에 ○표를 하시오.

롤러코스터는 내리막길에서 점점 (빨라지고 / 느려지고) 오르막길에서 점점 (빨라지는 / 느려지는) 운동을 합니다.

▲ 롤러코스터

똑똑한 하루 퀴즈

6 다음 □ 안에 들어갈 알맞은 낱말을 말 상자에서 찾아 모두 ○표를 하세요. 말 상자의 낱말은 가로, 세로, 대각선에 숨어 있어요.

손	일	정	☆
자	변	하	는
☆	동	늘	크
위	☆	계	기
치	시	간	단

1. 시간이 지남에 따라 물체의 □□가 변할 때 물체가 운동한다고 함.
2. 물체의 운동은 물체가 이동하는 데 걸린 □□과 이동 거리로 나타냄.
3. 바이킹은 빠르기가 □□□ 운동을 함.
4. □□□□은 위층이나 아래층으로 이동하는 동안 빠르기가 일정한 운동을 함.

2일 일정한 거리를 이동한 물체의 빠르기

누가 빠를까?

용어 체크

일정한 거리를 이동한 물체의 빠르기

물체가 이동하는 데 걸린 시간으로 빠르기를 비교함.

예 사이클은 일정한 ❶ [ ] 를 이동해 걸린 시간을 측정하여 빠르기를 비교하는 운동 경기이다.

▲ 사이클

정답 ❶ 거리

하디와 이지가 1등이라고!

용어 체크

조정

정해진 거리에서 배를 저어 빠르기를 겨루는 운동 경기

예 조정 경기는 출발선에서 동시에 출발해 ❶ 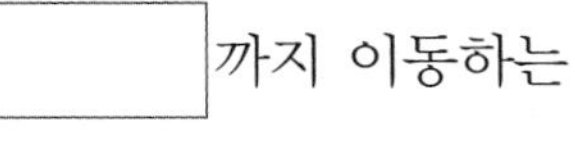 까지 이동하는 데 걸린 시간으로 순위를 정한다.

정답 ❶ 결승선

2일 개념 익히기

1 일정한 거리를 이동한 물체의 빠르기는 어떻게 비교할까?

모둠	이 름	걸린 시간
1	형화	8초 95
2	준혁	9초 55
3	기현	8초 43
4	소미	8초 54
5	정원	8초 77
6	현아	9초 12

일정한 거리를 이동한 물체의 빠르기 비교 방법

- **물체가 이동하는 데 걸린 시간**으로 빠르기를 비교함.
- 일정한 거리를 이동하는 데 **짧은 시간**이 걸린 물체가 긴 시간이 걸린 물체보다 **더 빠름**.

일정한 거리를 이동한 물체의 빠르기는 물체가 ❶(이동하는 데 걸린 시간 / 이동한 거리)(으)로 비교합니다.

2 일정한 거리를 이동하는 데 걸린 시간을 측정해 빠르기를 비교하는 운동 경기를 알아볼까?

공통점
- 일정한 거리를 이동하는 데 **걸린 시간**을 측정해 빠르기를 비교함.
- 출발선에서 동시에 출발해 **결승선에 먼저 도착**한 선수가 **더 빠른** 것으로 정함.

마라톤은 선수들이 출발선에서 동시에 출발했을 때 결승선까지 이동하는 데 가장 ❷(긴 / 짧은) 시간이 걸린 선수가 가장 빠릅니다.

정답 ❶ 이동하는 데 걸린 시간 ❷ 짧은

개념 체크

정답과 풀이 9쪽

보기
- 출발
- 결승
- 느립
- 빠릅

1 50 m 달리기에서 ☐☐선까지 달리는 데 가장 짧은 시간이 걸린 친구가 가장 빠릅니다.

2 일정한 거리를 이동하는 데 짧은 시간이 걸린 물체가 긴 시간이 걸린 물체보다 더 ☐☐니다.

3 (조정 / 야구)은/는 일정한 거리를 이동하는 데 걸린 시간을 측정해 빠르기를 비교합니다.

개념 확인하기

정답과 풀이 9쪽

1 다음은 모둠별로 친구들이 50 m를 달리는 데 걸린 시간을 측정한 것입니다. 가장 빠르게 달린 친구의 이름을 쓰시오.

모둠	이름	걸린 시간	모둠	이름	걸린 시간
1	형화	9초 34	4	기현	8초 55
2	준혁	9초 55	5	경희	8초 43
3	민영	10초 05	6	슬기	9초 28

( )

2 위 **1**번에서 가장 빠르게 달린 친구를 어떻게 알 수 있는지 바르게 설명한 것을 보기에서 골라 기호를 쓰시오.

보기

㉠ 출발선에서 가장 빠르게 출발한 친구가 가장 빠릅니다.
㉡ 결승선까지 달리는 데 가장 긴 시간이 걸린 친구가 가장 빠릅니다.
㉢ 결승선까지 달리는 데 가장 짧은 시간이 걸린 친구가 가장 빠릅니다.

( )

3 다음 중 일정한 거리를 이동한 물체의 빠르기를 비교하는 방법으로 옳은 것은 어느 것입니까? ( )

① 물체의 무게로 빠르기를 비교한다.
② 물체가 이동한 거리로 빠르기를 비교한다.
③ 물체가 이동하는 데 걸린 시간으로 빠르기를 비교한다.
④ 이동한 거리가 같으므로 일정한 거리를 이동한 물체의 빠르기는 모두 같다.
⑤ 일정한 거리를 이동하는 데 긴 시간이 걸린 물체가 짧은 시간이 걸린 물체보다 더 빠르다.

일정한 거리를 이동한 물체의 빠르기

4 다음은 100 m 달리기 경기 결과입니다. 결승선까지 이동하는 데 가장 짧은 시간이 걸린 친구의 이름을 쓰시오.

순위	1	2	3
이름	박태호	손지영	김선호

( )

3주

집중 연습 문제 일정한 거리를 이동해 빠르기를 비교하는 운동 경기

5 다음 중 일정한 거리를 이동해 걸린 시간을 측정해 빠르기를 비교하는 운동 경기가 아닌 것을 골라 기호를 쓰시오.

( )

6 다음은 수영 경기에 출전한 선수들의 기록을 나타낸 것입니다. 가장 느린 선수는 누구입니까? ( )

① 이주원 : 29초 20
② 최다연 : 28초 75
③ 정유진 : 31초 20
④ 진서우 : 30초 50
⑤ 박하나 : 28초 50

3일 일정한 시간 동안 이동한 물체의 빠르기

동글이가 가장 빨라.

용어 체크

일정한 시간 동안 이동한 물체의 빠르기

물체가 이동한 거리로 빠르기를 비교함.

예 일정한 ❶ [   ] 동안 긴 거리를 이동한 자전거가 짧은 거리를 이동한 킥보드보다 더 빠르다.

정답 ❶ 시간

집으로 가는 게 아니었어?

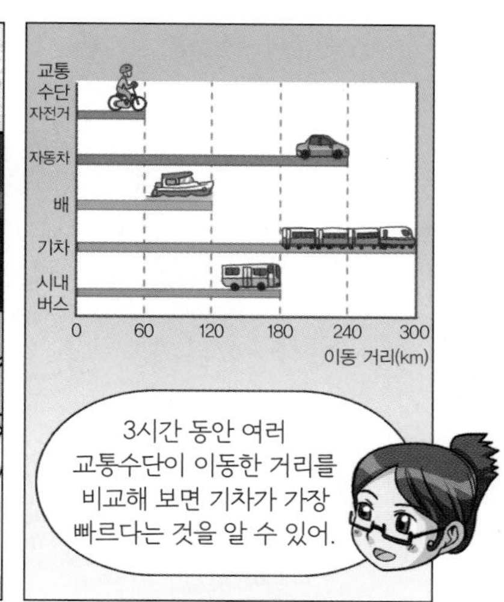

용어 체크

교통수단

사람이나 짐을 옮기는 데 쓰이는 것

예 교통 ❶ [ ] 과 통신 기기의 발달은 세계를 하나로 만들고 있다.

정답 ❶ 수단

3일 개념 익히기

1 일정한 시간 동안 이동한 물체의 빠르기는 어떻게 비교할까?

일정한 시간 동안 이동한 물체의 빠르기 비교 방법

- **물체가 이동한 거리**로 빠르기를 비교함.
- 일정한 시간 동안 **긴 거리**를 이동한 물체가 짧은 거리를 이동한 물체보다 **더 빠름**.

일정한 시간 동안 이동한 물체의 빠르기는 물체가 ❶(이동하는 데 걸린 시간 / 이동한 거리)(으)로 비교합니다.

2 여러 교통수단의 빠르기를 비교해 볼까?

3시간 동안 여러 교통수단이 이동한 거리 비교

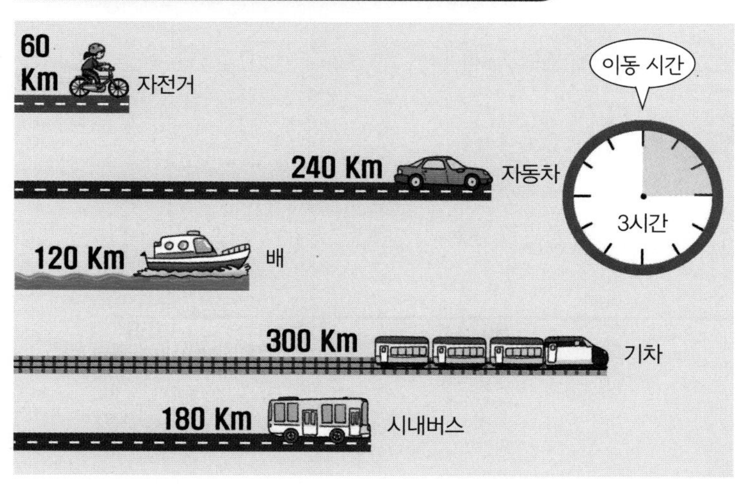

가장 긴 거리를 이동한 교통수단이 가장 빨라.

- 비교 방법 : 일정한 시간 동안 물체가 이동한 거리로 비교함.
- 교통수단의 빠른 순서 : 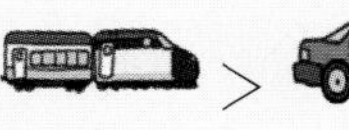 >  >  >  > 

기차 자동차 시내버스 배 자전거

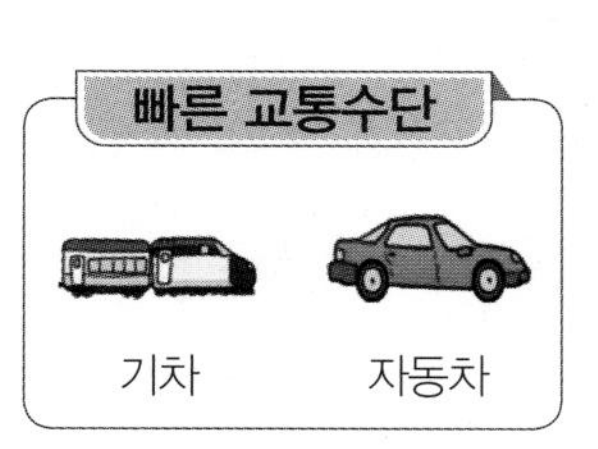

여러 교통수단 중 일정한 시간 동안 가장 ❷(긴 / 짧은) 거리를 이동한 기차가 가장 빠릅니다.

정답 ❶ 이동한 거리 ❷ 긴

개념 체크

정답과 풀이 9쪽

보기
- 빠릅
- 느립
- 시간
- 거리

1 일정한 시간 동안 긴 거리를 이동한 물체가 짧은 거리를 이동한 물체보다 더 ☐☐니다.

2 일정한 시간 동안 가장 긴 ☐☐을/를 이동한 종이 자동차가 가장 빠릅니다.

3 3시간 동안 240 km를 이동한 자동차와 3시간 동안 60 km를 이동한 자전거 중 더 빠른 것은 (자동차 / 자전거)입니다.

3일 개념 확인하기

○ 정답과 풀이 10쪽

1 다음은 친구들이 만든 종이 자동차가 4초 동안 이동한 거리를 나타낸 것입니다. 친구들이 만든 종이 자동차 중에서 가장 빠른 종이 자동차는 어느 것인지 기호를 쓰시오.

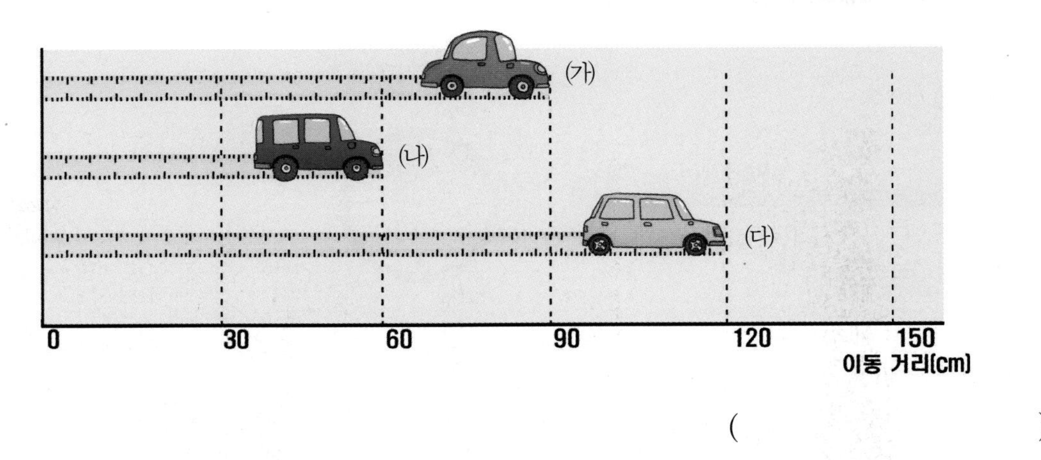

(　　　　　　　　)

2 다음 보기에서 위 **1**번 종이 자동차의 빠르기를 비교하는 방법으로 옳은 것을 골라 기호를 쓰시오.

보기

㉠ 종이 자동차가 이동한 거리로 빠르기를 비교합니다.

㉡ 종이 자동차의 무거운 정도로 빠르기를 비교합니다.

㉢ 종이 자동차가 이동하는 데 걸린 시간으로 빠르기를 비교합니다.

(　　　　　　　　)

3 다음은 일정한 시간 동안 이동한 물체의 빠르기를 비교하는 방법입니다. (　　) 안에 들어갈 알맞은 말에 ○표를 하시오.

일정한 시간 동안 (긴 / 짧은) 거리를 이동한 물체가 (긴 / 짧은) 거리를 이동한 물체보다 더 빠릅니다.

4 다음은 3시간 동안 여러 교통수단이 이동한 거리를 나타낸 그래프를 보고 교통수단을 빠른 순서대로 나타낸 것입니다. ㉠, ㉡에 들어갈 알맞은 말을 쓰시오.

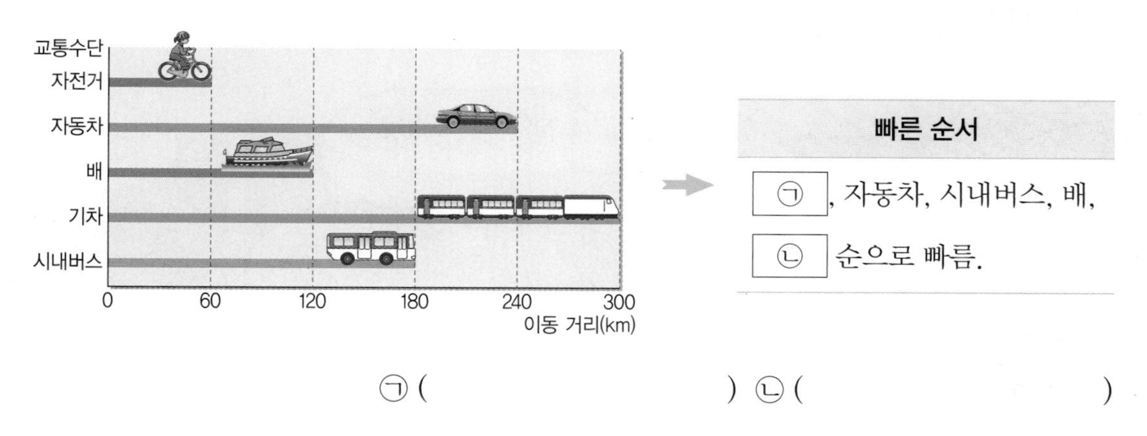

빠른 순서
㉠, 자동차, 시내버스, 배,
㉡ 순으로 빠름.

㉠ (　　　　　　　　) ㉡ (　　　　　　　　)

5 위 **4**번의 교통수단 중 3시간 동안 200 km를 이동한 고속버스보다 느린 교통수단을 골라 바르게 짝지은 것은 어느 것입니까? (　　　　)

① 자전거, 기차
② 자전거, 자동차
③ 자동차, 시내버스
④ 자전거, 배, 시내버스
⑤ 자동차, 기차, 시내버스

똑똑한 하루 퀴즈

6 다음 □ 안에 들어갈 알맞은 낱말을 말 상자에서 찾아 모두 ○표를 하세요. 말 상자의 낱말은 가로, 세로, 대각선에 숨어 있어요.

☆	자	느	림
빠	석	위	치
기	르	☆	거
차	☆	기	리
도	착	술	☆

① 일정한 시간 동안 이동한 물체의 빠르기는 물체가 이동한 □□로 비교함.
② 3시간 동안 여러 교통수단이 이동한 거리를 측정해 보면 여러 교통수단의 □□□를 비교할 수 있음.
③ 3시간 동안 100 km를 이동한 교통수단은 3시간 동안 200 km를 이동한 교통수단보다 더 □□.

4일 물체의 속력

달리는 마차의 속력은 어떻게 나타낼까?

용어 체크

속력

1초, 1분, 1시간 등과 같은 단위 시간 동안 물체가 이동한 거리

예 고속도로에서 앞에 달리던 트럭이 갑자기 ❶ [   ] 을 줄여 사고가 날 뻔했다.

▲ 육상 동물 중 속력이 가장 빠른 치타

정답 ❶ 속력

안전장치로 몸을 보호해!

용어 체크

에어백
자동차가 충돌할 때 공기주머니가 부풀어 나와 탑승자의 충격을 줄여 주는 안전장치

예 자동차와 트럭이 충돌했으나 ❶ ______ 때문에 운전자가 많이 다치지 않았다.

과속 방지 턱
자동차의 주행 속력을 강제로 줄이기 위해 도로에 설치한 턱

예 어린이 보호 구역에는 자동차의 속력을 줄이도록 ❷ ______ 을 설치한다.

정답 ❶ 에어백 ❷ 과속 방지 턱

4일 개념 익히기

1 물체의 속력은 어떻게 나타낼까?

속력
- 뜻 : 1초, 1분, 1시간 등과 같은 단위 시간 동안 물체가 이동한 거리
- 구하는 방법 : 물체가 이동한 거리를 걸린 시간으로 나누어 구함.
- 단위 : km/h, m/s 등

걸린 시간의 단위에는 시간(h), 초(s) 등이 있어요.

속력 = (이동 거리) ÷ (걸린 시간)

속력 읽는 방법

80 km/h → '팔십 킬로미터 퍼 아워' 또는 '시속 팔십 킬로미터'라고 읽음.

1시간 동안 80 km를 이동한 물체의 속력

13 m/s → '십삼 미터 퍼 세컨드' 또는 '초속 십삼 미터'라고 읽음.

1초 동안 13 m를 이동한 물체의 속력

여러 가지 물체의 속력

속력이 큰 물체가 더 빨라.

- 기차의 속력 : 280 km ÷ 2 h = 140 km/h
- 배의 속력 : 160 km ÷ 4 h = 40 km/h
- 자동차의 속력 : 240 km ÷ 3 h = 80 km/h
- 버스의 속력 : 60 km ÷ 1 h = 60 km/h

속력 비교하기 → **헬리콥터 > 기차 > 자동차 > 버스 > 배 > 자전거 > 사람 > 강아지** 순으로 빠름.

속력은 물체가 이동한 ❶(방향 / 거리)을/를 걸린 시간으로 나누어 구합니다.

2 속력과 관련된 안전장치와 안전 수칙에는 무엇이 있을까?

자동차에 설치된 안전장치

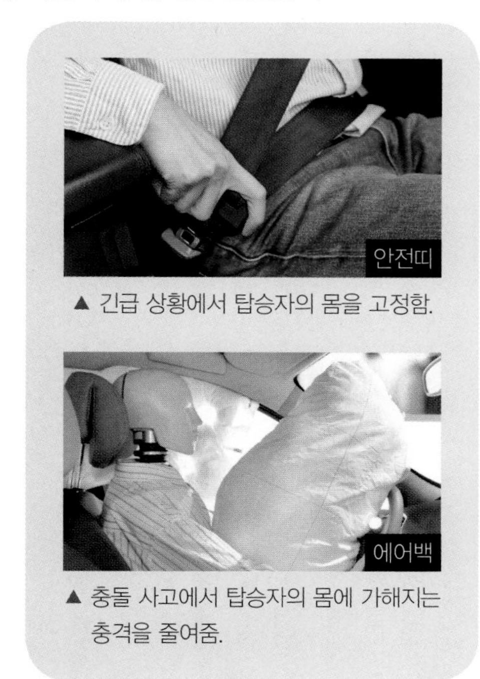

▲ 긴급 상황에서 탑승자의 몸을 고정함.

▲ 충돌 사고에서 탑승자의 몸에 가해지는 충격을 줄여줌.

도로에 설치된 안전장치

▲ 자동차의 속력을 줄여서 사고를 막음.

▲ 학교 주변 도로에서 자동차의 속력을 제한해 어린이들의 교통 안전사고를 막음.

도로 주변에서 어린이가 지켜야 할 교통안전 수칙

- 무단횡단 하지 않기
- 인도에서 버스 기다리기
- 횡단보도를 건널 때 좌우 살피기
- 도로 주변에서 공은 공 주머니에 넣고 다니기
- 초록색 신호등이 켜지고 조금 지난 뒤에 건너기

자동차에 설치된 안전장치에는 ❷(안전띠 / 과속 방지 턱), 에어백 등이 있습니다.

정답 ❶ 거리 ❷ 안전띠

개념 체크

정답과 풀이 10쪽

1 3시간 동안 240 km를 이동한 자동차의 속력은 ☐☐ km/h입니다.

2 1초 동안 13 m를 이동한 바람의 속력은 13 ☐☐☐로 나타냅니다.

3 과속 방지 턱, 어린이 보호 구역 표지판은 도로에서 자동차의 ☐☐을 줄이거나 제한해 교통 안전사고를 예방합니다.

보기
- 40
- 80
- m/s
- km/h
- 운동
- 속력

3 주

4일 개념 확인하기

정답과 풀이 10쪽

1 다음 보기에서 물체의 속력에 대한 설명으로 옳지 않은 것을 골라 기호를 쓰시오.

보기
㉠ 속력이 작은 물체가 더 빠릅니다.
㉡ 속력의 단위에는 km/h, m/s 등이 있습니다.
㉢ 속력은 이동 거리를 걸린 시간으로 나누어 구합니다.
㉣ 속력은 단위 시간 동안 물체가 이동한 거리를 말합니다.

(　　　　　　　　)

2 다음 중 가장 빠른 물체는 어느 것입니까? (　　　　)

①

②

③

④

⑤

3 다음에 나타낸 속력과 속력을 바르게 읽은 것에 맞게 줄로 이으시오.

(1)	17 km/h •	• ㉠	십칠 미터 퍼 세컨드 또는 초속 십칠 미터
(2)	17 m/s •	• ㉡	십칠 킬로미터 퍼 아워 또는 시속 십칠 킬로미터

4 다음 중 교통안전 수칙을 바르게 말한 친구의 이름을 쓰시오.

지우 : 횡단보도를 건널 때 도로 좌우를 살핍니다.
라온 : 버스가 정류장에 도착할 때까지 차도에서 기다립니다.
혜솔 : 빨간색 신호등이 켜지고 조금 지난 뒤에 횡단보도를 건넙니다.

( )

집중 연습 문제 속력과 관련된 안전장치

5 다음에서 설명하는 속력과 관련된 안전장치를 골라 기호를 쓰시오.

- 자동차에 설치된 안전장치입니다.
- 자동차가 다른 자동차와 충돌했을 때 탑승자의 몸에 가해지는 충격을 줄여 줍니다.

㉠ 
▲ 안전띠

㉡ 
▲ 에어백

( )

이것은 압축된 공기주머니를 빠르게 부풀려서 탑승자를 보호해.

6 다음 중 도로에 설치된 안전장치를 두 가지 고르시오. (,)

① 안전띠
② 에어백
③ 자동계단
④ 과속 방지 턱
⑤ 어린이 보호 구역 표지판

교통안전 사고를 예방하거나 사고가 발생하더라도 피해를 줄일 수 있도록 다양한 안전장치를 설치해.

1 물체의 운동

시간이 지남에 따라 위치가 변하지 않는 물체는 운동하지 않은 물체야.

① **물체의 운동 :** 시간이 지남에 따라 물체의 위치가 변하는 것
② **물체의 운동을 나타내는 방법 :** 물체가 이동하는 데 걸린 시간과 이동 거리로 나타냅니다.
③ **여러 가지 물체의 운동 비교**

빠르기가 변하는 운동을 하는 물체	빠르기가 일정한 운동을 하는 물체
롤러코스터, 자동차, 축구공, 비행기 등	자동계단, 자동길, 케이블카 등
 ▲ 롤러코스터 : 내리막길에서 점점 빨라지고 오르막길에서 점점 느려지는 운동을 함.	 ▲ 자동계단 : 위층이나 아래층으로 이동하는 동안 빠르기가 일정한 운동을 함.

2 일정한 거리를 이동한 물체의 빠르기

① **비교 방법**
- 물체가 이동하는 데 걸린 시간으로 빠르기를 비교합니다.
- 일정한 거리를 이동하는 데 짧은 시간이 걸린 물체가 긴 시간이 걸린 물체보다 더 빠릅니다.

② **일정한 거리를 이동하는 데 걸린 시간을 측정해 빠르기를 비교하는 운동 경기**
- **종류 :** 수영, 쇼트 트랙, 조정, 마라톤, 사이클 등
- 결승선까지 이동하는 데 가장 짧은 시간이 걸린 선수가 가장 빠릅니다.

출발선에서 동시에 출발해 결승선에 먼저 도착한 선수가 더 빨라.

3 일정한 시간 동안 이동한 물체의 빠르기

① **비교 방법**
- 일정한 시간 동안 물체가 이동한 거리로 빠르기를 비교합니다.
- 일정한 시간 동안 긴 거리를 이동한 물체가 짧은 거리를 이동한 물체보다 더 빠릅니다.

② 여러 교통수단의 빠르기 비교

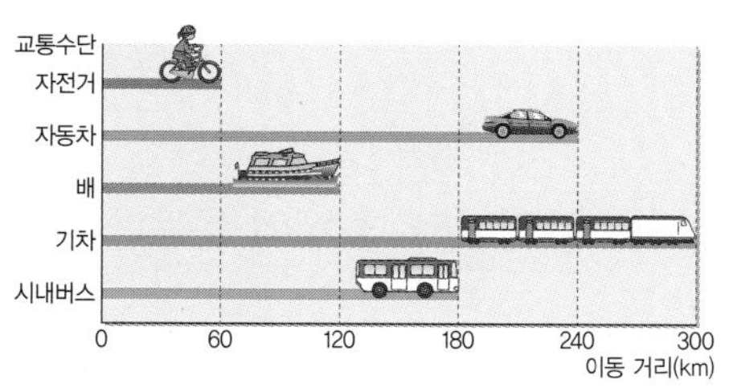

▲ 3시간 동안 여러 교통수단이 이동한 거리

- 빠른 순서 : 기차, 자동차, 시내버스, 배, 자전거 순으로 빠름.
- 일정한 시간 동안 이동한 거리가 길수록 교통수단의 빠르기가 더 빠름.

4 물체의 속력

속력이 큰 물체가 더 빨라.

① 속력 : 1초, 1분, 1시간 등과 같은 단위 시간 동안 물체가 이동한 거리

- 속력을 구하는 방법 : (속력) = (이동 거리) ÷ (걸린 시간)
- 단위 : km/h, m/s 등

② 속력과 관련된 안전장치

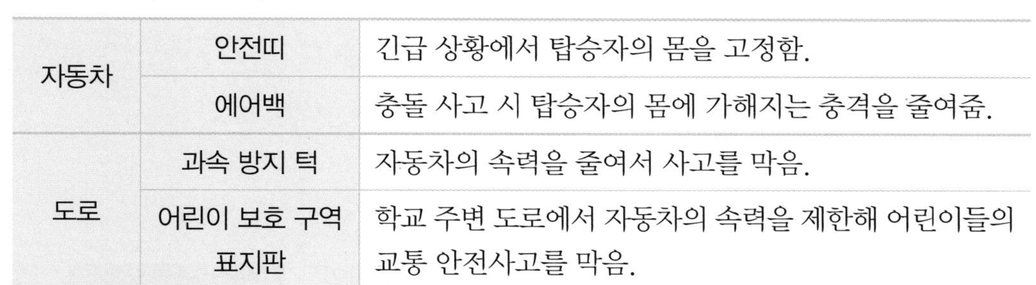

자동차	안전띠	긴급 상황에서 탑승자의 몸을 고정함.
	에어백	충돌 사고 시 탑승자의 몸에 가해지는 충격을 줄여줌.
도로	과속 방지 턱	자동차의 속력을 줄여서 사고를 막음.
	어린이 보호 구역 표지판	학교 주변 도로에서 자동차의 속력을 제한해 어린이들의 교통 안전사고를 막음.

③ 교통안전 수칙 : 횡단보도를 건널 때 도로 좌우 살피기, 버스는 인도에서 기다리기, 초록색 불이 켜지고 조금 지난 뒤 횡단보도 건너기 등

100%

자율주행 자동차가 뭐야?

운전자 없이 기술로 스스로 움직이는 자동차야.

자율주행 자동차의 안전과 관련된 기술이 궁금해.

도로의 정확한 상황 정보 파악을 위한 센서, 정확하고 안전한 경로를 생각해 내는 인공지능 기술, 그리고 안전하게 주행하고 정지하는 기술 등이 있어.

3주

5일 3주 마무리하기

1일 물체의 운동

1 다음은 1초 간격으로 거리의 모습을 나타낸 것입니다. 물체의 운동에 대한 설명으로 옳은 것은 어느 것입니까? (   )

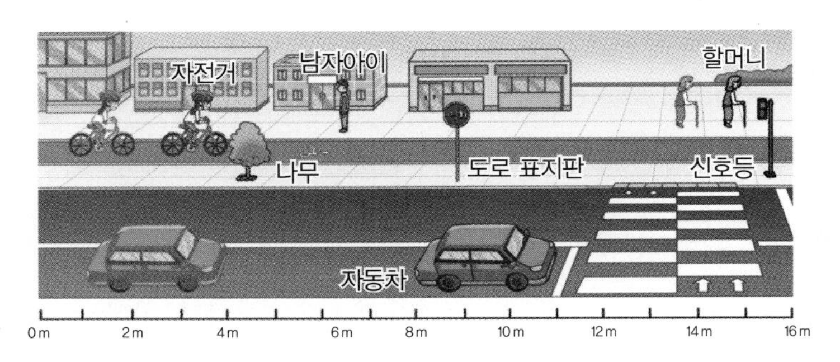

① 나무는 위치가 변했다.
② 자동차는 운동하지 않았다.
③ 자전거는 1초 동안 2 m를 이동했다.
④ 할머니는 1초 동안 가장 먼 거리를 이동했다.
⑤ 자동차는 1초 동안 가장 짧은 거리를 이동했다.

2 오른쪽에서 빠르기가 변하는 운동을 하는 물체의 기호를 쓰시오.

(   )

▲ 자동차

▲ 자동길

3 다음 운동을 하는 물체의 빠르기는 어떤 특징이 있는지 줄로 바르게 이으시오.

(1) 
▲ 자동계단 •

(2) 
▲ 롤러코스터 •

• ㉠ 위층이나 아래층으로 이동하는 동안 빠르기가 일정한 운동을 함.

• ㉡ 내리막길에서는 점점 빨라지고 오르막길에서는 점점 느려지는 운동을 함.

정답과 풀이 10쪽

2일 일정한 거리를 이동한 물체의 빠르기

4 다음은 자유형 50 m 수영 경기의 기록을 나타낸 것입니다. 가장 빠른 선수의 이름을 쓰시오.

이름	걸린 시간	이름	걸린 시간
박미래	29초 20	강하늘	28초 35
염서우	30초 40	정현호	29초 05

( )

서술형

5 다음의 운동 경기에서는 공통적으로 가장 빠른 선수를 어떻게 정하는지 쓰시오.

▲ 조정

▲ 마라톤

▲ 사이클

일정한 거리를(결승선까지) 이동하는 데 ______________________________

______________________________.

6 다음 중 일정한 거리를 이동하는 데 걸린 시간을 측정해 빠르기를 비교하는 운동 경기를 골라 기호를 쓰시오.

㉠ 
▲ 100 m 달리기

㉡ 
▲ 장대높이뛰기

㉢ 
▲ 체조

( )

3일 일정한 시간 동안 이동한 물체의 빠르기

7 다음 중 일정한 시간 동안 이동한 물체의 빠르기를 비교하는 방법에 대한 설명으로 옳은 것을 두 가지 고르시오. (　　　,　　　)

① 물체가 이동하는 데 걸린 시간으로 빠르기를 비교한다.
② 일정한 시간 동안 물체가 이동한 거리로 빠르기를 비교한다.
③ 일정한 시간 동안 이동한 물체의 빠르기는 비교하기 어렵다.
④ 일정한 시간 동안 짧은 거리를 이동한 물체가 긴 거리를 이동한 물체보다 더 빠르다.
⑤ 일정한 시간 동안 긴 거리를 이동한 물체가 짧은 거리를 이동한 물체보다 더 빠르다.

8 오른쪽은 3시간 동안 여러 교통수단이 이동한 거리를 나타낸 그래프입니다. 자동차보다 빠른 교통수단을 쓰시오.

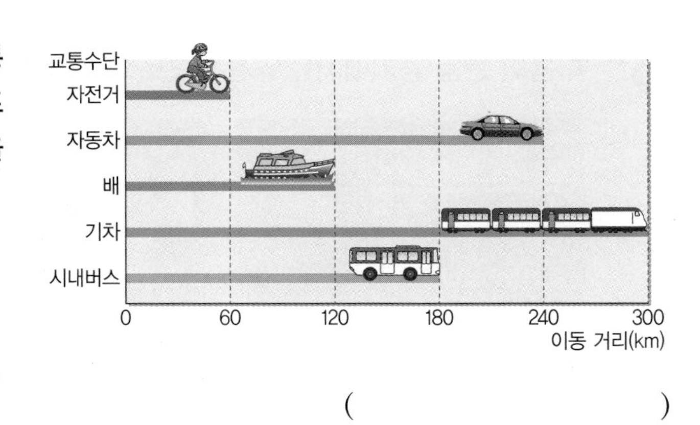

(　　　　　　　　)

4일 물체의 속력

9 다음 중 두 물체의 속력에 대한 설명으로 옳지 <u>않은</u> 것은 어느 것입니까? (　　　)

- 배는 4시간 동안 160 km를 이동했습니다.
- 자동차는 3시간 동안 240 km를 이동했습니다.

① 자동차가 배보다 더 빠르다.
② 배의 속력은 160 km/h이다.
③ 자동차의 속력은 80 km/h이다.
④ 자동차가 배보다 속력이 더 크다.
⑤ 자동차는 배보다 일정한 시간 동안 더 긴 거리를 이동한다.

10 다음 중 속력과 관련된 안전장치는 어느 것입니까? (　　　　)

① 
▲ 케이블카

② 
▲ 자동계단

③ 
▲ 과속 방지 턱

④ 
▲ 자동길

11 다음 보기에서 교통안전 수칙에 대한 설명으로 옳은 것을 골라 기호를 쓰시오.

보기
- ㉠ 도로에 차가 없으면 무단횡단을 합니다.
- ㉡ 초록색 신호등이 켜지면 바로 횡단보도를 건넙니다.
- ㉢ 버스가 정류장에 도착할 때까지 인도에서 기다립니다.

(　　　　　　　　　　)

12 다음 십자말풀이를 해 보세요.

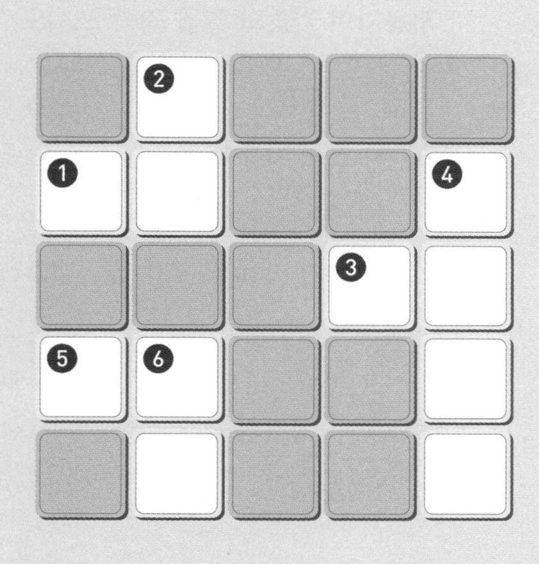

➔ 가로

1. 시간이 지남에 따라 물체의 위치가 변할 때 물체가 □□한다고 함.
3. 자동□□은 빠르기가 일정한 운동을 함.
5. 도로에 설치된 □□ 방지 턱은 자동차의 속력을 줄여서 사고를 막음.

➔ 세로

2. (속력) = (□□ 거리) ÷ (걸린 시간)
4. □□□□를 건널 때에는 도로 좌우를 살핌.
6. □□이 큰 물체가 더 빠름.

3주 누구나 100점 TEST

맞은 개수 /10개

1 다음 중 물체의 운동을 나타낸 것으로 옳은 것은 어느 것입니까? (　　　　)

① 준서는 7 m를 이동했다.
② 자전거는 15분 동안 이동했다.
③ 지수는 남쪽으로 50 m를 이동했다.
④ 자동차는 1초 동안 7 m를 이동했다.
⑤ 서우는 공원 주변을 1시간 동안 걸었다.

2 다음 보기 에서 일정한 빠르기로 운동하는 물체를 두 가지 골라 쓰시오.

보기
축구공, 자동길, 케이블카, 롤러코스터

(　　　　,　　　　)

3 다음은 50 m 달리기의 기록을 나타낸 것입니다. 이에 대한 설명으로 옳지 않은 것은 어느 것입니까? (　　　　)

이름	걸린 시간	이름	걸린 시간
정원	9초 12	성은	9초 25
석영	8초 34	재희	8초 55

① 석영이가 가장 빠르다.
② 결승선에 먼저 도착한 친구가 더 빠르다.
③ 일정한 시간 동안 이동한 거리로 친구들의 빠르기를 비교한다.
④ 결승선까지 달리는 데 가장 짧은 시간이 걸린 친구가 가장 빠르다.
⑤ 결승선까지 이동하는 데 걸린 시간으로 친구들의 빠르기를 비교한다.

4 다음 두 운동 경기의 공통점을 잘못 말한 친구의 이름을 쓰시오.

▲ 마라톤

▲ 수영

예담 : 결승선에 먼저 도착한 선수가 더 빠른 것으로 정해.
라온 : 출발선에서 여러 선수가 동시에 출발하는 운동 경기야.
혜솔 : 일정한 시간 동안 물체가 이동한 거리를 측정해 빠르기를 비교해.

(　　　　　　)

5 다음은 ㈎~㈐ 종이 자동차가 4초 동안 이동한 거리에 대한 설명입니다. ㉠, ㉡에 들어갈 알맞은 자동차의 기호와 말을 각각 쓰시오.

구분	이동 거리
㈎ 종이 자동차	60 cm
㈏ 종이 자동차	120 cm
㈐ 종이 자동차	80 cm

[㉠] 종이 자동차가 가장 빠릅니다. 그렇게 생각한 까닭은 일정한 시간 동안 가장 [㉡] 거리를 이동했기 때문입니다.

㉠ (　　　　) ㉡ (　　　　)

6 다음은 여러 교통수단이 3시간 동안 이동한 거리를 그래프로 나타낸 것입니다. 그래프에 대한 설명으로 옳은 것에 ○표를 하시오.

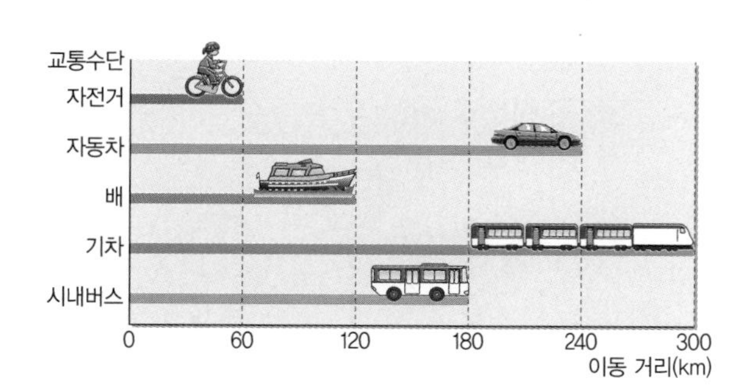

(1) 일정한 시간 동안 가장 긴 거리를 이동한 교통수단은 자전거입니다. ( )

(2) 기차, 자동차, 시내버스, 배, 자전거 순서로 빠릅니다. ( )

7 다음과 같이 빈우는 학교 후문에서 연못까지 이동했습니다. 이동 거리가 90 m, 걸린 시간이 45초일 때 빈우의 속력을 구하시오.

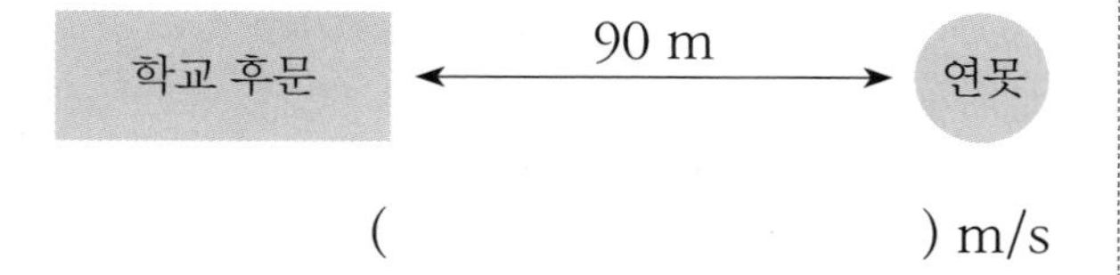

( ) m/s

8 다음 중 가장 빠른 물체는 어느 것입니까? ( )

① 120 km/h로 달리는 치타
② 240 km/h로 날아가는 양궁 화살
③ 4시간 동안 8 km를 이동한 등산객
④ 2시간 동안 280 km를 이동한 기차
⑤ 2시간 동안 500 km를 이동한 헬리콥터

9 다음 속력과 관련된 안전장치와 그 기능을 줄로 바르게 이으시오.

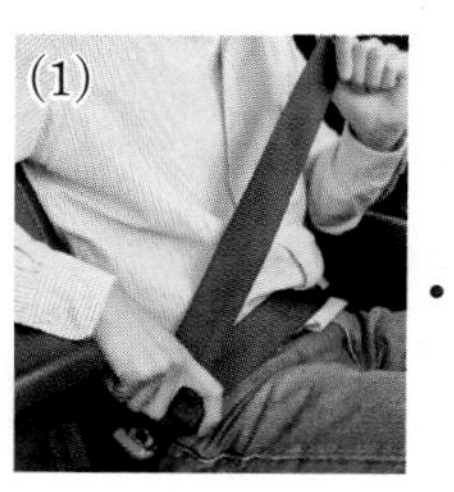
(1)

▲ 안전띠

• ㉠ 자동차의 속력을 줄여서 사고를 막음.

(2)

▲ 과속 방지 턱

• ㉡ 긴급 상황에서 탑승자의 몸을 고정함.

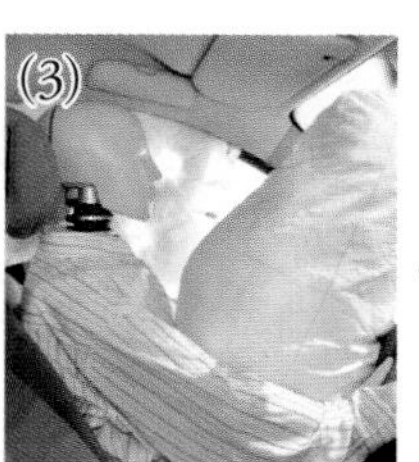
(3)

▲ 에어백

• ㉢ 충돌 사고에서 탑승자의 몸에 가해지는 충격을 줄여줌.

10 다음 중 도로 주변에서 교통안전 수칙을 잘 지킨 친구를 골라 기호를 쓰시오.

( )

창의·융합·코딩

3주 특강

생활 속 과학

놀이 기구를 통해 빠르기가 변하는 운동과 빠르기가 일정한 운동을 살펴봅니다.

놀이공원에서 어떤 놀이 기구를 타고 싶어?

1 다음은 여러 가지 모양의 블록이 위에서 떨어지면서 아래 블록의 빈 곳을 채우는 게임이에요. 빠르기가 일정한 운동을 하는 놀이 기구만 아래 블록의 빈 곳을 채울 수 있어요. 해당하는 블록에 ○표를 하고, 아래 블록의 빈 곳에 채울 수 있는 부분과 줄로 바르게 이으세요. (단, 블록은 상하좌우 자유롭게 움직일 수 있어요.)

사고 쑥쑥

물체의 운동과 속력의 뜻을 알아봅니다.

2 다음은 자동차 경주에 참가한 자동차들입니다. 물음에 대한 옳은 답을 따라 가면 자동차 경주에서 1등한 자동차를 찾을 수 있어요. 1등한 자동차는 무슨 색 자동차인지 쓰세요.

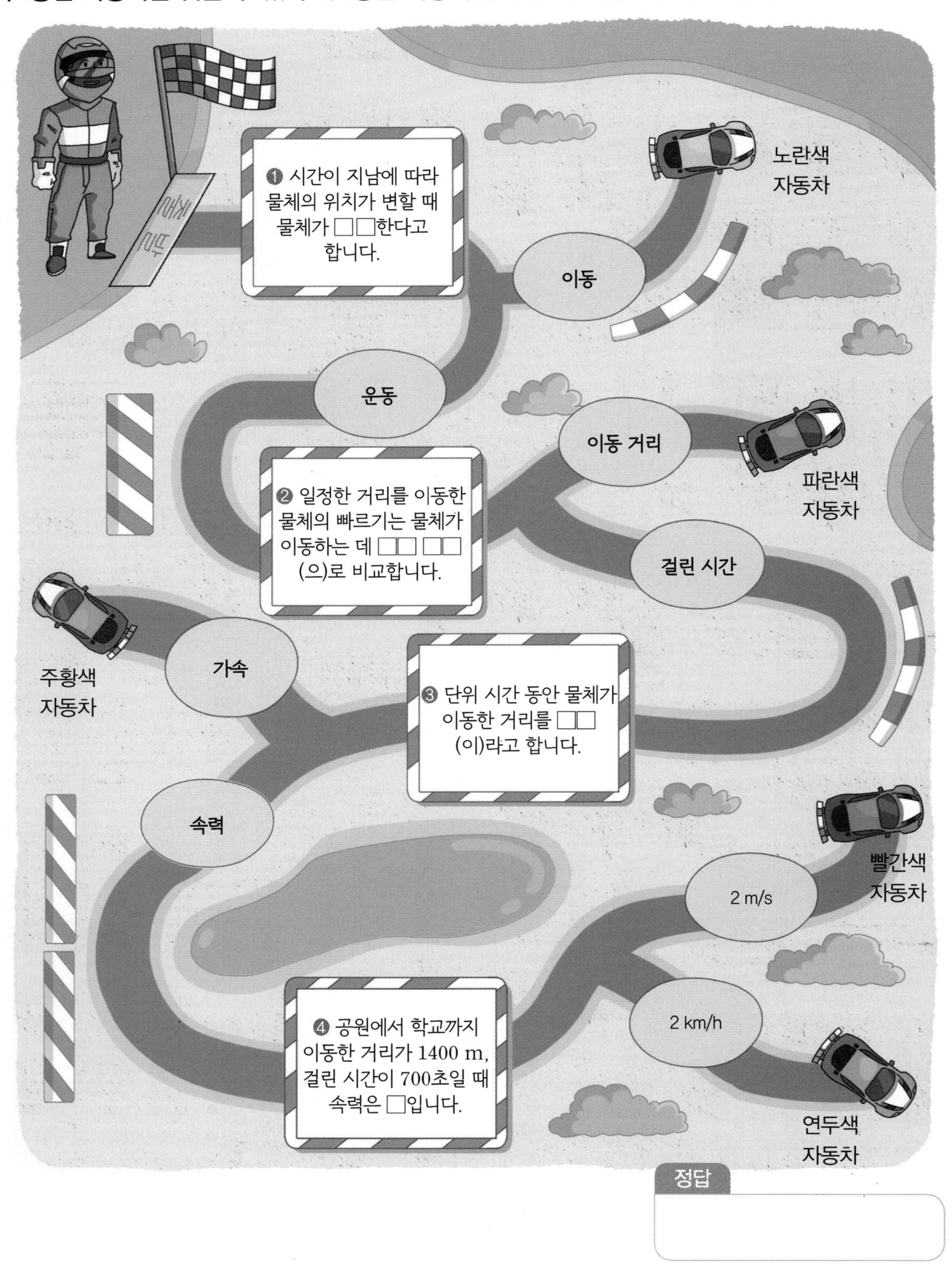

정답

일정한 시간 동안 이동한 물체의 빠르기는 어떻게 비교할 수 있는지 알아봅니다.

3 다음 만화를 읽고 빈칸에 들어갈 알맞은 말을 아래 카드 중에서 골라 쓰세요.

[카드]

걸린 시간	이동한 거리	흘린 땀

정답

논리 탄탄

코딩을 통해 교통안전 수칙을 살펴봅니다.

4 다음은 도로 주변에서 안전을 위해 한 행동이에요. 나의 행동은 안전한 행동인지, 위험한 행동인지 [실행 규칙]에 따라 순서대로 모두 실행했을 때 도착점의 기호를 쓰세요.

나의 행동

(1) 버스에서 내린 뒤 급하게 길을 건너지 않습니다.
(2) 도로에 차가 없으면 무단횡단을 합니다.
(3) 초록색 신호등이 켜지면 좌우를 살피며 횡단보도를 건넙니다.
(4) 버스가 정류장에 도착할 때까지 차도에서 기다립니다.
(5) 도로 주변에서 공놀이를 하였습니다.
(6) 횡단보도에서는 자전거에서 내려 자전거를 끌고 건넙니다.

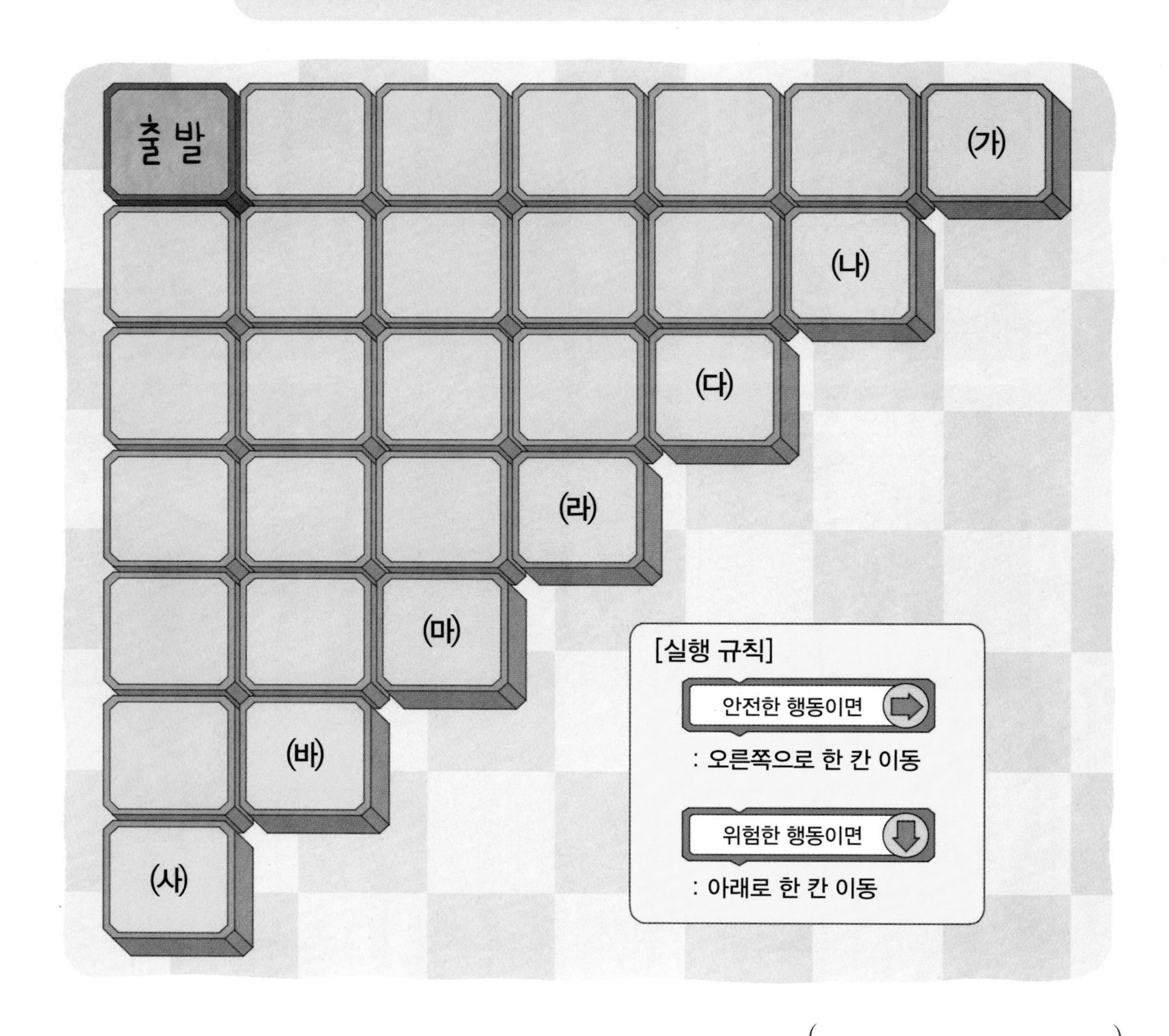

( )

코딩을 통해 속력과 관련된 안전장치를 알아봅니다.

5 다음은 속력과 관련된 안전장치 코딩판이에요. 실행 규칙에 따라 점수를 더하며 화살표를 따라 이동하였을 때 최종 점수의 각 숫자에 해당하는 글자를 순서대로 조합한 암호를 쓰세요.

[실행 규칙]
- 도로에 설치된 교통안전 장치 : 2점
- 자동차에 설치된 안전장치 : 4점

[코딩판]

[코딩 암호문]

숫자	0	1	2	3	4	5	6	7	8	9
글자	칙	안	수	통	교	속	찰	경	전	도

암호

산과 염기

4주에는 무엇을 공부할까? ①

지시약으로 산성 용액과 염기성 용액을 구별할 수 있어.

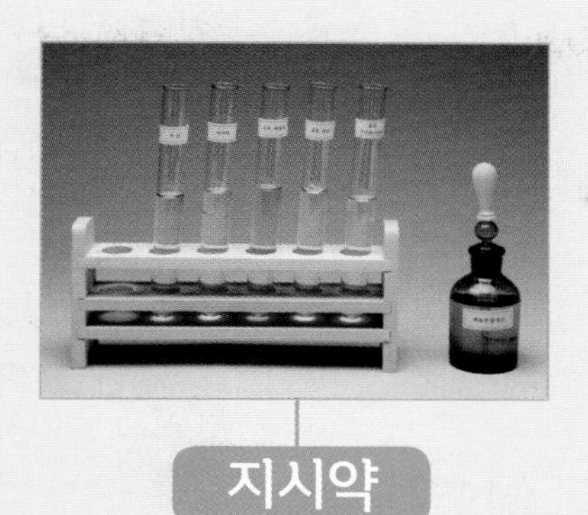

지시약에는 리트머스 종이, 페놀프탈레인 용액, 자주색 양배추 지시약 등이 있어.

지시약

산과 염기

산성 용액과 염기성 용액의 성질이 달라.

산성 용액

염기성 용액

▲ 자주색 양배추 지시약이 붉은색 계열으로 변함.

▲ 달걀 껍데기를 녹임.

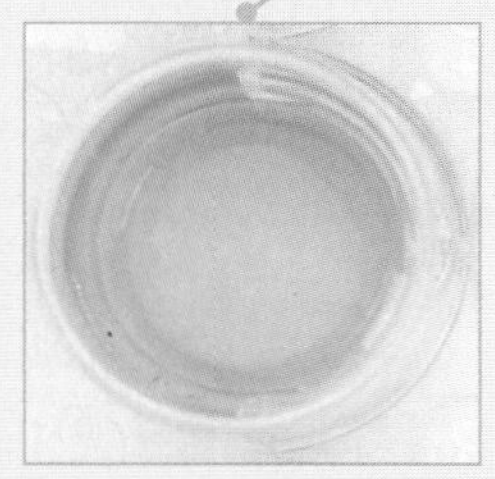

▲ 자주색 양배추 지시약이 푸른색이나 노란색 계열로 변함.

▲ 두부를 녹임.

지시약의 색깔 변화로 산성 용액과 염기성 용액을 분류할 수 있다는 것을 꼭 기억해!

핵심 용어

4주 4주에는 무엇을 공부할까? ❷

분류

分 類

나눌 분 무리 류

뜻 **관찰한 것을 바탕으로 하여 어떤 물체나 자연 현상의 공통점과 차이점을 찾아낸 뒤 기준을 세워 무리 짓는 것**

예 책꽂이에 꽂힌 여러 종류의 책들을 **분류**하여 정리했어요.

지시약

指 指 藥

가리킬 지 보일 시 약 약

자주색 양배추도 지시약으로 이용할 수 있어.

뜻 **어떤 용액을 만났을 때에 그 용액의 성질에 따라 눈에 띄는 변화가 나타나는 물질**

예 **지시약**에는 리트머스 종이, 페놀프탈레인 용액 등이 있어요.

산성 용액과 염기성 용액에서 나타나는 지시약의 색깔이 각각 달라.

산성 용액

우리는 페놀프탈레인 용액의 색깔을 변화시키지 않아.

뜻 **푸른색 리트머스 종이를 붉게 변화시키는 성질이 있는 용액**

예 식초, 레몬즙, 사이다 등은 **산성 용액**이에요.

염기성 용액

우리는 페놀프탈레인 용액을 붉게 변화시키지.

뜻 **붉은색 리트머스 종이를 푸르게 변화시키는 성질이 있는 용액**

예 유리 세정제, 빨랫비누 물, 석회수 등은 **염기성 용액**이에요.

산과 염기와 관련된 다양한 용어가 있어. 특히 지시약으로 산성 용액과 염기성 용액을 분류할 수 있다는 것을 꼭 기억해!

기포

氣 泡

기운 기 거품 포

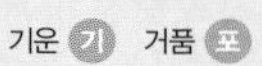

뜻 **고체나 액체의 내부에 기체가 들어가 둥그렇게 거품처럼 된 것**

예 시원한 콜라를 컵에 따르니 보글보글 **기포**가 올라와요.

대리석

大 理 石

큰 대 다스릴 리 돌 석

뜻 **석회암이 높은 온도와 센 압력을 받아 성질이 변한 돌**

예 집 앞 공원에는 **대리석**으로 만들어진 여러 가지 조각상이 세워져 있어요.

대리석을 산성 용액에 넣으면 기포가 생기면서 녹아.

제산제

制 酸 劑

절제할 제 실 산 약제 제

뜻 **위산이 많아 생긴 증상을 치료하는 약**

예 소화가 잘 안 되고 속이 쓰릴 때는 **제산제**를 먹어요.

4주

여러 가지 용액 분류하기

여러 가지 액체를 섞어서 색다른 걸 만들어 볼까?

용어 체크

용액

두 가지 이상의 물질이 골고루 섞인 액체

예 • 식초와 유리 세정제는 색깔이 있는 ❶ ______ 이다.

• 탄산음료는 물에 이산화 탄소가 녹아 있는 ❷ ______ 이다.

▲ 탄산 음료

정답 ❶ 용액 ❷ 용액

용액들을 다양한 기준으로 분류하여 정리해 보자!

용어 체크

분류

관찰한 것을 바탕으로 하여 어떤 물체나 자연 현상의 공통점과 차이점을 찾아낸 뒤에 기준을 세워 무리 짓는 것

예 생물을 크게 동물과 식물로 ❶ [　　　] 하였다.

겉보기 성질

색, 모양, 냄새, 감촉과 같이 사람의 감각 기관으로 쉽게 파악할 수 있는 물질의 성질

예 색깔이 없고, 냄새가 나지 않으며, 투명한 용액은 ❷ [　　　] 로 용액을 분류하기 어렵다.

정답 ❶ 분류 ❷ 겉보기 성질

1일 개념 익히기

1 여러 가지 용액을 관찰해 볼까?

식초

- 연한 노란색
- 투명함.
- 냄새가 남.
- 거품이 유지되지 않음.

레몬즙

- 연한 노란색
- 불투명함.
- 냄새가 남.
- 거품이 유지되지 않음.

용액의 색깔, 투명한 정도, 냄새, 거품 등의 **겉보기 성질**을 관찰해.

유리 세정제

- 연한 푸른색
- 투명함.
- 냄새가 남.
- 거품이 유지됨.

사이다

- 무색
- 투명함.
- 냄새가 남.
- 거품이 유지되지 않음.

빨랫비누 물

- 하얀색
- 불투명함.
- 냄새가 남.
- 거품이 유지됨.

석회수

- 무색
- 투명함.
- 냄새가 나지 않음.
- 거품이 유지되지 않음.

묽은 염산

- 무색
- 투명함.
- 냄새가 남.
- 거품이 유지되지 않음.

묽은 수산화 나트륨 용액

- 무색
- 투명함.
- 냄새가 나지 않음.
- 거품이 유지되지 않음.

용액의 색깔, 냄새, 거품 등의 ❶(겉보기 성질 / 맛있는 정도)을/를 관찰합니다.

실험 동영상

여러 가지 용액 분류하기

2 여러 가지 용액을 어떻게 분류할 수 있을까?

분류 기준 : 색깔이 있는가?

그렇다. / 그렇지 않다.

분류 기준 : 투명한가?

그렇다. / 그렇지 않다.

분류 기준 : 흔들었을 때 거품이 3초 이상 유지되는가?

그렇다. / 그렇지 않다.

용액의 성질을 관찰하고 **분류 기준**을 세운 뒤, 기준에 따라 용액을 분류해.

용액의 성질을 관찰하고 ❷(이름 순서대로 / 분류 기준을 세워) 용액을 분류합니다.

정답 ❶ 겉보기 성질 ❷ 분류 기준을 세워

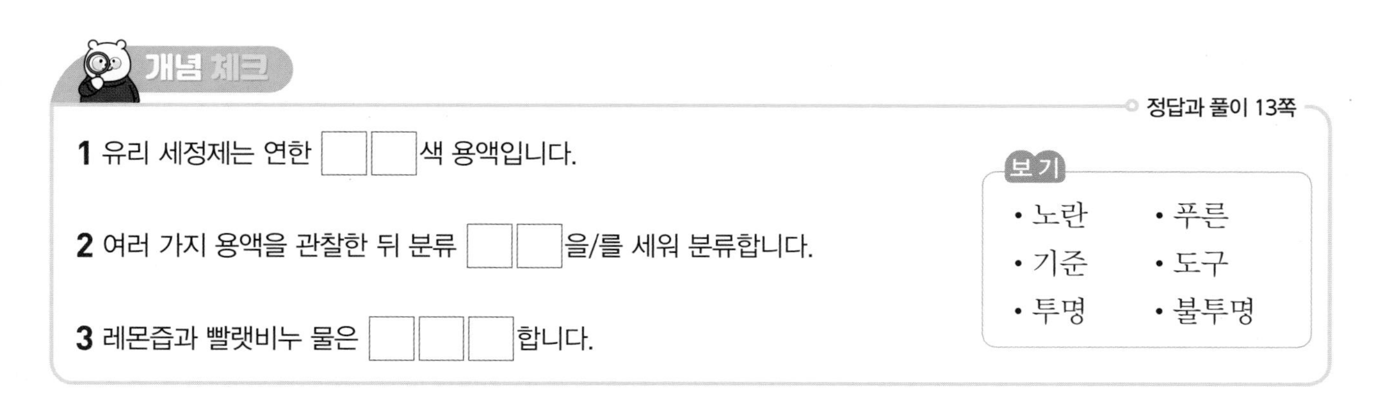

개념 체크

정답과 풀이 13쪽

1 유리 세정제는 연한 ☐☐색 용액입니다.

2 여러 가지 용액을 관찰한 뒤 분류 ☐☐을/를 세워 분류합니다.

3 레몬즙과 빨랫비누 물은 ☐☐☐합니다.

보기
- 노란
- 푸른
- 기준
- 도구
- 투명
- 불투명

4 주

1일

정답과 풀이 13쪽

1 다음은 어떤 용액에 대한 설명입니다. (　　) 안의 알맞은 용액에 ○표를 하시오.

> 하얀색이며 불투명하고 흔들었을 때 거품이 3초 이상 유지되는 용액은 (석회수 / 빨랫비누 물)입니다.

2 다음의 용액을 관찰한 내용에 맞게 줄로 바르게 이으시오.

(1)
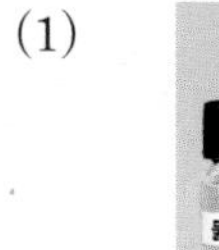

▲ 묽은 염산

• 　　　　•  ㉠ 무색이고 투명하며, 흔들면 거품이 3초 이상 유지되지 않음.

(2)

▲ 유리 세정제

• 　　　　• ㉡ 연한 푸른색이고 투명하며, 흔들면 거품이 3초 이상 유지됨.

3 다음 보기에서 레몬즙을 관찰한 내용으로 옳은 것을 골라 기호를 쓰시오.

보기
> ㉠ 하얀색이고, 투명합니다.
> ㉡ 불투명하고, 냄새가 납니다.
> ㉢ 흔들면 거품이 3초 이상 유지됩니다.

(　　　　　　　　)

4 다음과 같이 용액을 분류하였을 때 분류 기준으로 적당한 것은 어느 것입니까? (　　　　)

① 투명한가?
② 냄새가 나는가?
③ 색깔이 있는가?
④ 신맛이 있는가?
⑤ 흔들었을 때 거품이 3초 이상 유지되는가?

5 다음은 흔들었을 때 거품이 3초 이상 유지되는 것과 그렇지 않은 것으로 용액을 분류한 것입니다. ☐ 안에 들어갈 용액으로 옳은 것에 ○표를 하시오.

물　　　　보리차　　　　유리 세정제

6 다음 □ 안에 들어갈 알맞은 낱말을 말 상자에서 찾아 모두 ○표를 하세요. 말 상자의 낱말은 가로, 세로, 대각선에 숨어 있어요.

거	☆	부	분
품	레	류	색
☆	기	몬	☆
준	☆	물	즙

❶ 연한 노란색이고 불투명하며, 냄새가 나는 용액. □□□
❷ 빨랫비누 물은 흔들었을 때 □□이 유지됨.
❸ 여러 가지 용액의 성질을 관찰한 뒤 □□ □□을 세워 용액을 분류함.

2일 지시약

지시약으로 동글이의 침의 성질을 알아보자!

용어 체크

지시약

어떤 용액을 만났을 때에 그 용액의 성질에 따라 눈에 띄는 변화가 나타나는 물질

예 자주색 양배추도 용액의 성질에 따라 색깔이 변하므로 ❶ (   ) 으로 이용할 수 있다.

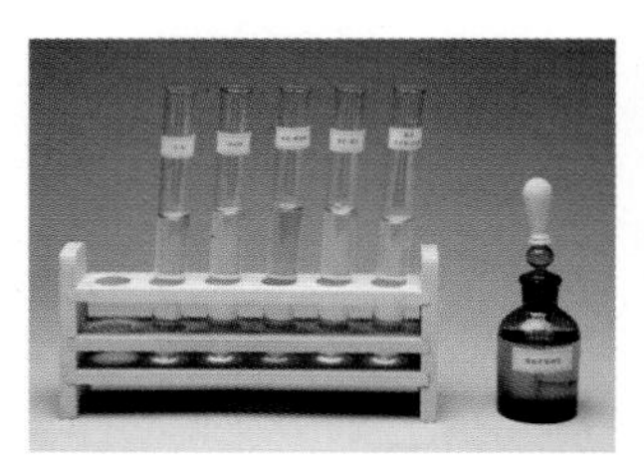

▲ 지시약으로 용액 분류하기

정답 ❶ 지시약

자주색 양배추로 지시약을 만들어 볼까?

용어 체크

산성 용액

푸른색 리트머스 종이를 붉게 변화시키는 성질이 있는 용액

예 지시약으로 ❶ ______ 용액과 염기성 용액을 구별할 수 있다.

염기성 용액

붉은색 리트머스 종이를 푸르게 변화시키는 성질이 있는 용액

예 묽은 수산화 나트륨 용액은 ❷ ______ 용액이다.

정답 ❶ 산성 ❷ 염기성

4주

2일 개념 익히기

1 리트머스 종이와 페놀프탈레인 용액의 색깔 변화로 용액을 분류해 볼까?

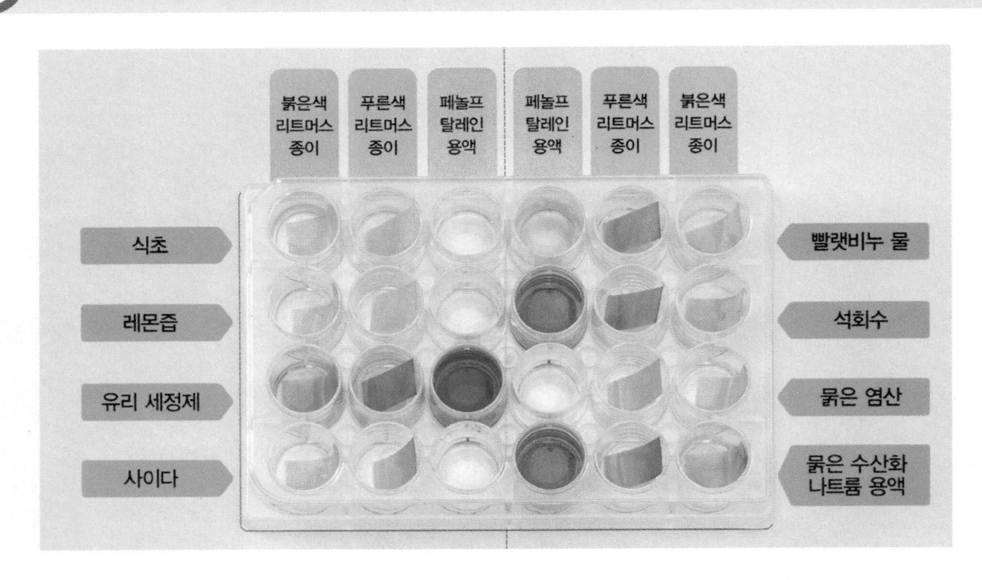

리트머스 종이의 색깔 변화

푸른색 리트머스 종이 ⇨ 붉은색으로 변함.	붉은색 리트머스 종이 ⇨ 푸른색으로 변함.
식초, 레몬즙, 사이다, 묽은 염산	유리 세정제, 빨랫비누 물, 석회수, 묽은 수산화 나트륨 용액

리트머스 종이와 페놀프탈레인 용액은 대표적인 지시약이야.

페놀프탈레인 용액의 색깔 변화

색깔 변화 없음.	붉은색으로 변함.
식초, 레몬즙, 사이다, 묽은 염산	유리 세정제, 빨랫비누 물, 석회수, 묽은 수산화 나트륨 용액

식초를 푸른색 리트머스 종이에 떨어뜨리면 ❶(붉은색 / 노란색)으로 변하고, 식초에 페놀프탈레인 용액을 떨어뜨리면 ❷(붉은색으로 변합니다 / 색깔 변화가 없습니다).

2 자주색 양배추 지시약의 색깔 변화로 용액을 분류해 볼까?

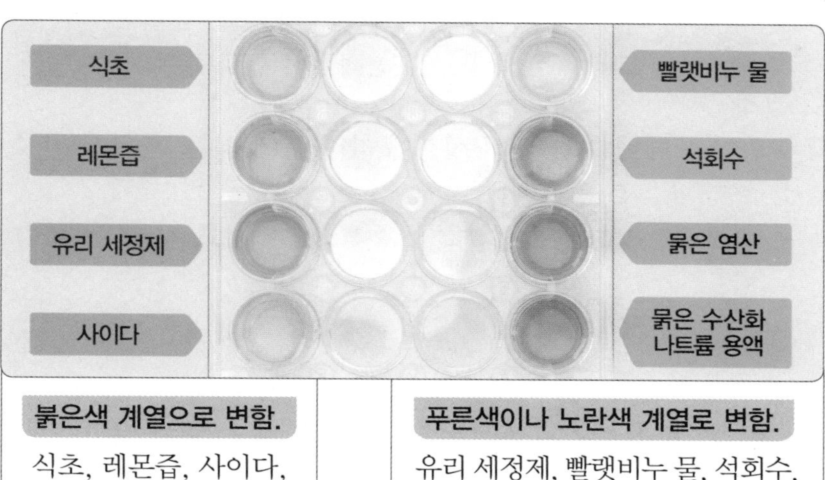

붉은색 계열으로 변함.	푸른색이나 노란색 계열로 변함.
식초, 레몬즙, 사이다, 묽은 염산	유리 세정제, 빨랫비누 물, 석회수, 묽은 수산화 나트륨 용액

산성 용액과 염기성 용액에서 지시약의 색깔 변화

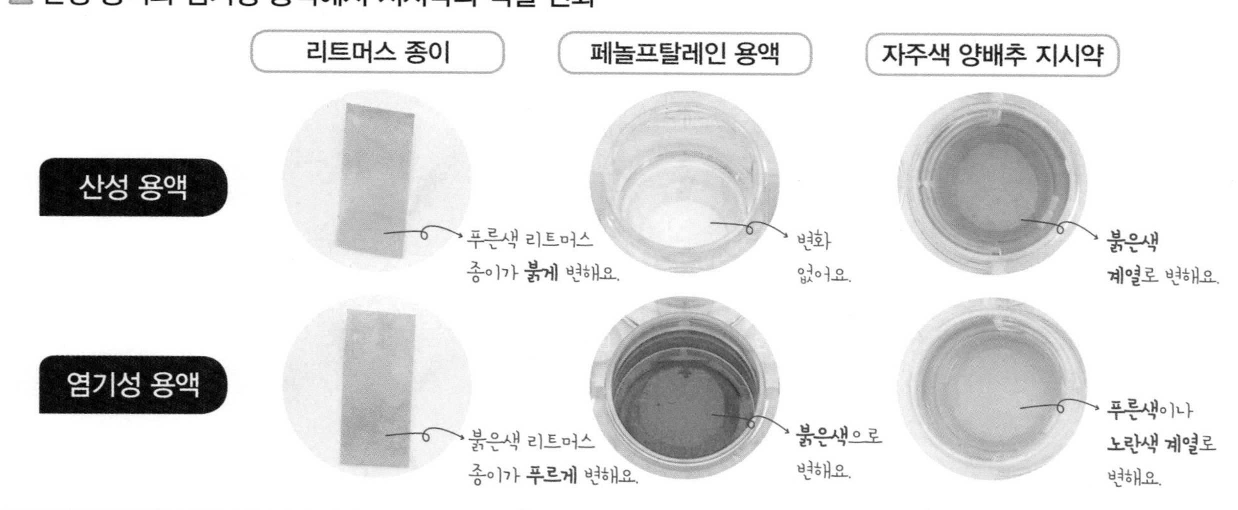

레몬즙에 자주색 양배추 지시약을 떨어뜨리면 ❸(붉은색 / 푸른색) 계열으로 색깔이 변합니다.

정답 ❶ 붉은색 ❷ 색깔 변화가 없습니다 ❸ 붉은색

개념 체크

정답과 풀이 13쪽

1 리트머스 종이와 페놀프탈레인 용액은 ☐☐☐입니다.

2 석회수에 페놀프탈레인 용액을 떨어뜨리면 ☐☐☐으로 변합니다.

3 사이다에 자주색 양배추 지시약을 떨어뜨리면 ☐☐☐ 계열의 색깔로 변합니다.

보기
- 지시약
- 세정제
- 푸른색
- 붉은색

정답과 풀이 13쪽

1 다음은 여러 가지 용액을 분류할 때 이용하는 것에 대한 설명입니다. 밑줄 친 '이것'이 무엇인지 쓰시오.

> '이것'은 어떤 용액을 만났을 때에 그 용액의 성질에 따라 눈에 띄는 변화가 나타나는 물질입니다.

( )

2 다음 중 지시약에 대한 설명으로 옳지 않은 것에 ×표를 하시오.

(1) 페놀프탈레인 용액은 지시약입니다. ( )
(2) 자주색 양배추도 지시약으로 이용할 수 있습니다. ( )
(3) 리트머스 종이는 푸른색과 노란색의 두 종류가 있습니다. ( )

3 다음 중 오른쪽과 같이 푸른색 리트머스 종이에 대었을 때 붉은색으로 변하는 용액은 어느 것입니까? ( )

▲ 푸른색 리트머스 종이

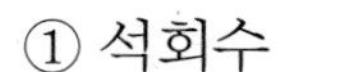
① 석회수 ② 레몬즙

③ 유리 세정제 ④ 빨랫비누 물
⑤ 묽은 수산화 나트륨 용액

4 다음 중 오른쪽과 같이 페놀프탈레인 용액에 떨어뜨렸을 때 붉은색으로 변하는 용액을 골라 ○표를 하시오.

▲ 페놀프탈레인 용액

사이다	레몬즙	석회수

지시약

5 다음의 각 용액을 자주색 양배추 지시약에 떨어뜨렸을 때의 색깔 변화에 맞게 줄로 바르게 이으시오.

(1) 유리 세정제 •

(2) 묽은 염산 •

• ㉠ 

▲ 붉은색 계열로 변함

• ㉡ 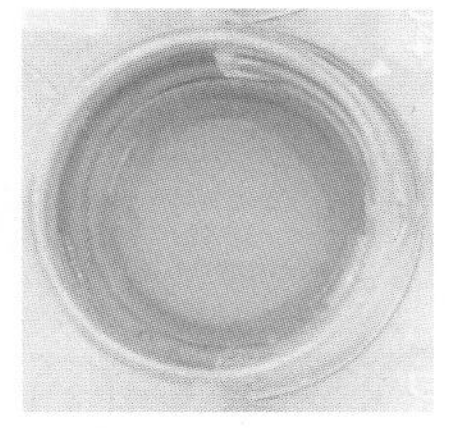

▲ 푸른색 계열로 변함

집중 연습 문제 산성 용액과 염기성 용액

6 다음 보기에서 산성 용액에 대한 설명으로 옳은 것을 골라 기호를 쓰시오.

보기
㉠ 유리 세정제, 석회수 등은 산성 용액입니다.
㉡ 페놀프탈레인 용액의 색깔이 변하지 않습니다.
㉢ 붉은색 리트머스 종이가 푸른색으로 변합니다.

( )

산성 용액에서 지시약의 색깔은 어떻게 변할까?

• 붉은색 리트머스 종이

• 페놀프탈레인 용액

• 자주색 양배추 지시약

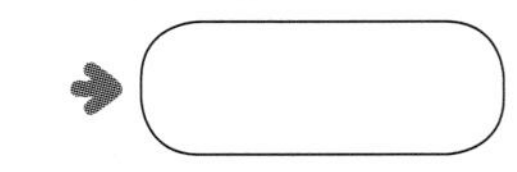

7 다음은 여러 가지 용액에 자주색 양배추 지시약을 떨어뜨렸을 때 색깔 변화가 비슷한 용액을 분류해 놓은 결과입니다. 이 용액들은 산성 용액인지, 염기성 용액인지 쓰시오.

( ) 용액

자주색 양배추 지시약이 왼쪽과 같이 변하는 용액에는 유리 세정제, 빨랫비누 물 등이 있어.

3일 산성 용액과 염기성 용액의 성질

대리석이 녹았어!

달걀 껍데기

대리석 조각

용어 체크

기포

고체나 액체의 내부에 기체가 들어가 둥그렇게 거품처럼 된 것

예 탄산음료를 컵에 따랐더니 하얀색 ❶ ______ 가 올라왔다.

대리석

석회암이 높은 온도와 센 압력을 받아 성질이 변한 돌

예 서울 원각사지 십층 석탑은 ❷ ______ 으로 만들어졌다.

정답 ❶ 기포 ❷ 대리석

석탑의 훼손을 막으려면 어떻게 해야 할까?

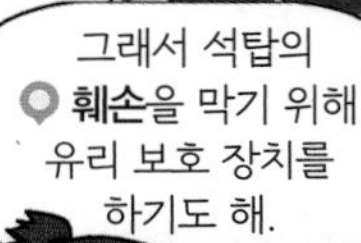

용어 체크

석탑

돌을 이용하여 쌓은 탑

예 서울 원각사지 십층 ❶ [ ] 에는 유리 보호 장치가 되어 있다.

훼손

헐거나 못쓰게 만듦.

예 무분별한 개발로 자연 환경이 많이 ❷ [ ] 되었다.

정답 ❶ 석탑 ❷ 훼손

3일 개념 익히기

▶ 실험 동영상

1 묽은 염산과 묽은 수산화 나트륨 용액에 물질을 넣으면 어떻게 될까?

묽은 염산에 여러 가지 물질 넣어 보기

달걀 껍데기	삶은 달걀 흰자	대리석 조각	두부
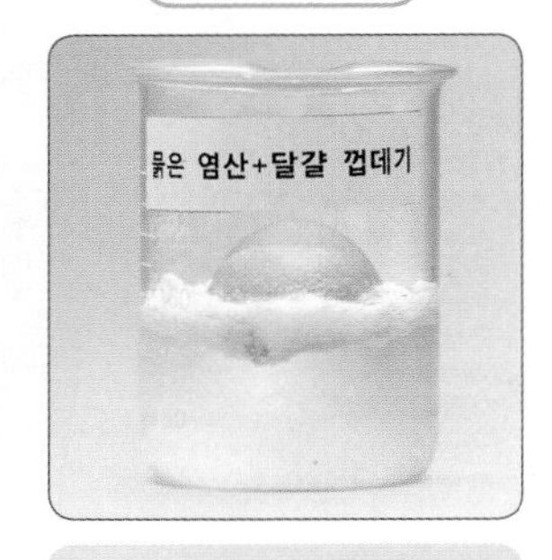			
• 기포가 발생함. • 껍데기가 녹음.	변화가 없음.	• 기포가 발생함. • 대리석이 녹음.	변화가 없음.

묽은 수산화 나트륨 용액에 여러 가지 물질 넣어 보기

달걀 껍데기	삶은 달걀 흰자	대리석 조각	두부
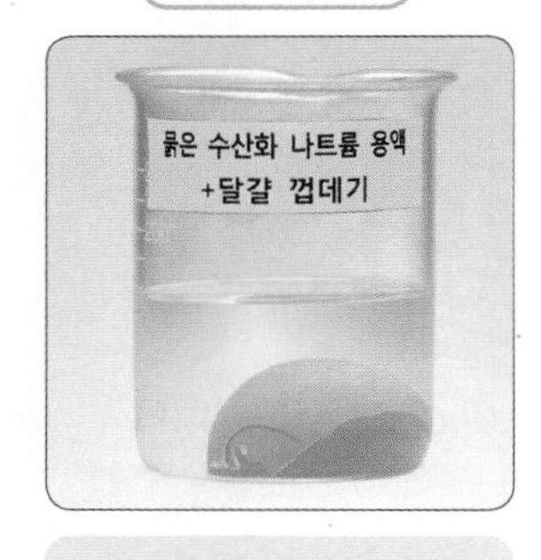			
변화가 없음.	• 뿌옇게 흐려짐. • 흐물흐물해짐.	변화가 없음.	• 뿌옇게 흐려짐. • 흐물흐물해짐.

묽은 염산에 달걀 껍데기나 대리석 조각을 넣으면 기포가 발생해.

묽은 수산화 나트륨 용액에 삶은 달걀 흰자나 두부를 넣으면 흐물흐물해져.

❶(묽은 염산 / 묽은 수산화 나트륨 용액)에 넣은 달걀 껍데기는 기포가 생기면서 녹고, ❷(묽은 염산 / 묽은 수산화 나트륨 용액)에 넣은 두부는 흐물흐물해집니다.

2 산성 용액과 염기성 용액의 성질을 알아볼까?

산성 용액(예 묽은 염산)

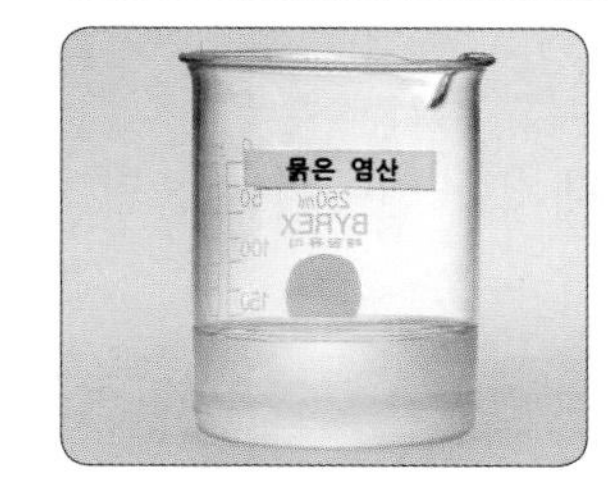

녹는 것
달걀 껍데기,
대리석 조각

염기성 용액(예 묽은 수산화 나트륨 용액)

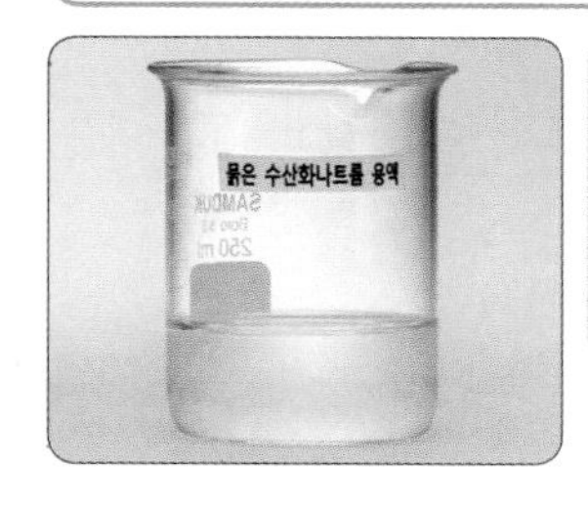

녹는 것
삶은 달걀 흰자,
두부

대리석 조각을 녹이는 것은 ❸(산성 / 염기성) 용액이고, 삶은 달걀 흰자를 녹이는 것은 ❹(산성 / 염기성) 용액입니다.

3 서울 원각사지 십층 석탑에 유리 보호 장치를 한 까닭은 무엇일까?

▲ 서울 원각사지 십층 석탑

석탑은 대리석이기 때문에 ❺(산성 / 염기성)을 띤 빗물에 훼손될 수 있습니다.

정답 ❶ 묽은 염산 ❷ 묽은 수산화 나트륨 용액 ❸ 산성 ❹ 염기성 ❺ 산성

개념 체크

정답과 풀이 14쪽

1 묽은 염산에 넣은 대리석 조각은 표면에서 ☐☐이/가 발생합니다.

2 두부를 ☐☐☐ 용액에 넣으면 녹아서 흐물흐물해집니다.

3 서울 원각사지 십층 석탑은 ☐☐☐이기 때문에 산성을 띤 빗물에 훼손될 수 있습니다.

보기
• 기포 • 대리석
• 산성 • 염기성

3일 개념 확인하기

정답과 풀이 14쪽

1 다음의 용액에 달걀 껍데기나 삶은 달걀 흰자를 넣었을 때의 결과로 옳은 것을 줄로 바르게 이으시오.

(1) 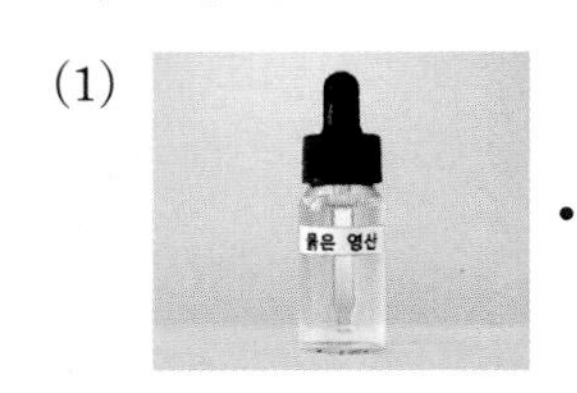

▲ 묽은 염산

(2) 

▲ 묽은 수산화 나트륨 용액

• ㉠ 달걀 껍데기 표면에서 기포가 발생하면서 녹음.

• ㉡ 삶은 달걀 흰자가 흐물흐물해지면서 뿌옇게 흐려짐.

2 다음 보기에서 묽은 염산에 넣었을 때 기포가 발생하면서 녹는 물질을 두 가지 고르시오.

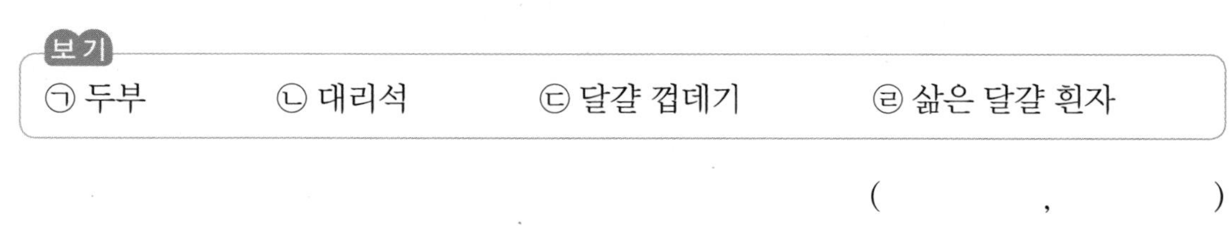

보기

㉠ 두부 ㉡ 대리석 ㉢ 달걀 껍데기 ㉣ 삶은 달걀 흰자

(,)

3 어떤 용액에 두부를 넣었더니 두부가 흐물흐물해지면서 녹았습니다. 다음 중 두부를 넣은 용액으로 적당한 것을 골라 ○표를 하시오.

사이다 묽은 염산 묽은 수산화 나트륨 용액

4 다음 중 산성 용액에 여러 가지 물질을 넣었을 때 옳은 것을 골라 ○표를 하시오.

(1) 달걀 껍데기를 넣으면 기포가 발생합니다. ( )

(2) 대리석 조각을 넣으면 아무런 변화가 없습니다. ( )

(3) 삶은 달걀 흰자를 넣으면 녹아서 흐물흐물해집니다. ( )

5 다음은 서울 원각사지 십층 석탑에 오른쪽과 같이 유리 보호 장치를 한 까닭입니다. ㉠, ㉡에 들어갈 알맞은 말을 각각 쓰시오.

> 서울 원각사지 십층 석탑은 [㉠]이기 때문에 [㉡]을 띤 빗물에 훼손될 수 있어 유리 보호 장치를 했습니다.

㉠ (   ) ㉡ (   )

▲ 서울 원각사지 십층 석탑

집중 연습 문제 산성 용액과 염기성 용액에 물질 넣기

6 다음은 여러 가지 물질을 묽은 염산 또는 묽은 수산화 나트륨 용액에 넣었을 때의 모습입니다.

㉠

▲ 대리석 조각이 녹으면서 크기가 줄어듦.

㉡

▲ 삶은 달걀 흰자가 흐물흐물해짐.

㉢

▲ 두부가 녹아 뿌옇게 흐려짐.

㉣

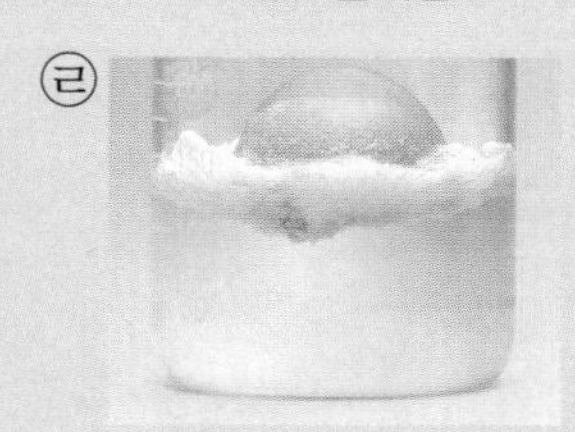

▲ 달걀 껍데기에서 기포가 발생함.

(1) ㉠~㉣ 중 묽은 염산에 넣은 것은 어느 것인지 두 개를 골라 기호를 쓰시오.

(,   )

(2) ㉠~㉣ 중 묽은 수산화 나트륨 용액에 넣은 것은 어느 것인지 두 개를 골라 기호를 쓰시오.

(,   )

(3) ㉠과 같이 대리석 조각을 녹이는 용액은 산성 용액과 염기성 용액 중 어떤 용액인지 쓰시오.

(   )

다음 용액의 성질은?

• 묽은 염산

➔ 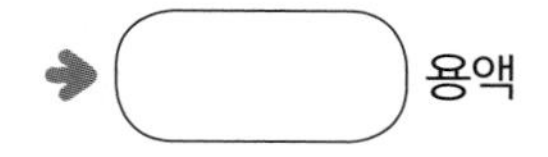 용액

• 묽은 수산화 나트륨 용액

➔  용액

4일 산성 용액과 염기성 용액의 이용

염기성으로 산성의 성질을 약하게 만들 수 있대!

용어 체크

소석회

수산화 칼슘이라고도 하며, 석고나 시멘트의 성분으로 쓰이는 하얀색 가루

예 공장에서 염산이 새어 나오자 직원들은 신속하게 ❶ [　　　] 를 뿌렸다.

消	石	灰
사라질	돌	재
소	석	회

정답 ❶ 소석회

제산제와 표백제의 공통점은 뭘까?

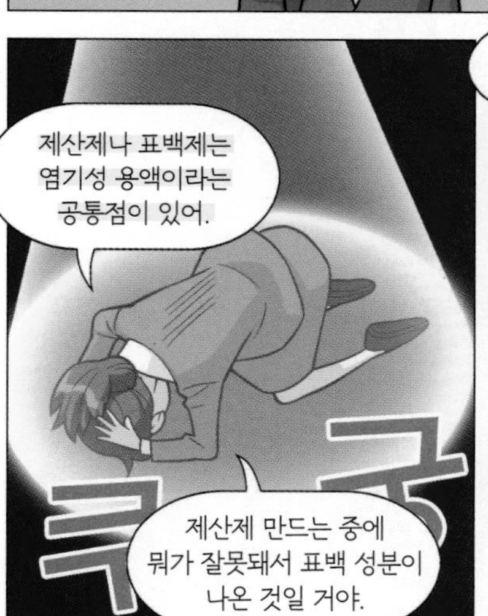

용어 체크

제산제

위산이 많아 생긴 증상을 치료하는 약

예 아버지께서는 속이 쓰리시다며 약국에 가서 ❶ [ ] 를 사오라고 하셨다.

표백제

여러 가지 섬유나 염색 재료 속에 들어 있는 색소를 없애는 약제

예 얼룩이 묻은 행주를 ❷ [ ] 를 사용하여 빨았더니 하얗게 되었다.

정답 ❶ 제산제 ❷ 표백제

실험 동영상

1 산성 용액과 염기성 용액을 섞으면 어떻게 될까?

▲ 자주색 양배추 지시약의 색깔 변화표

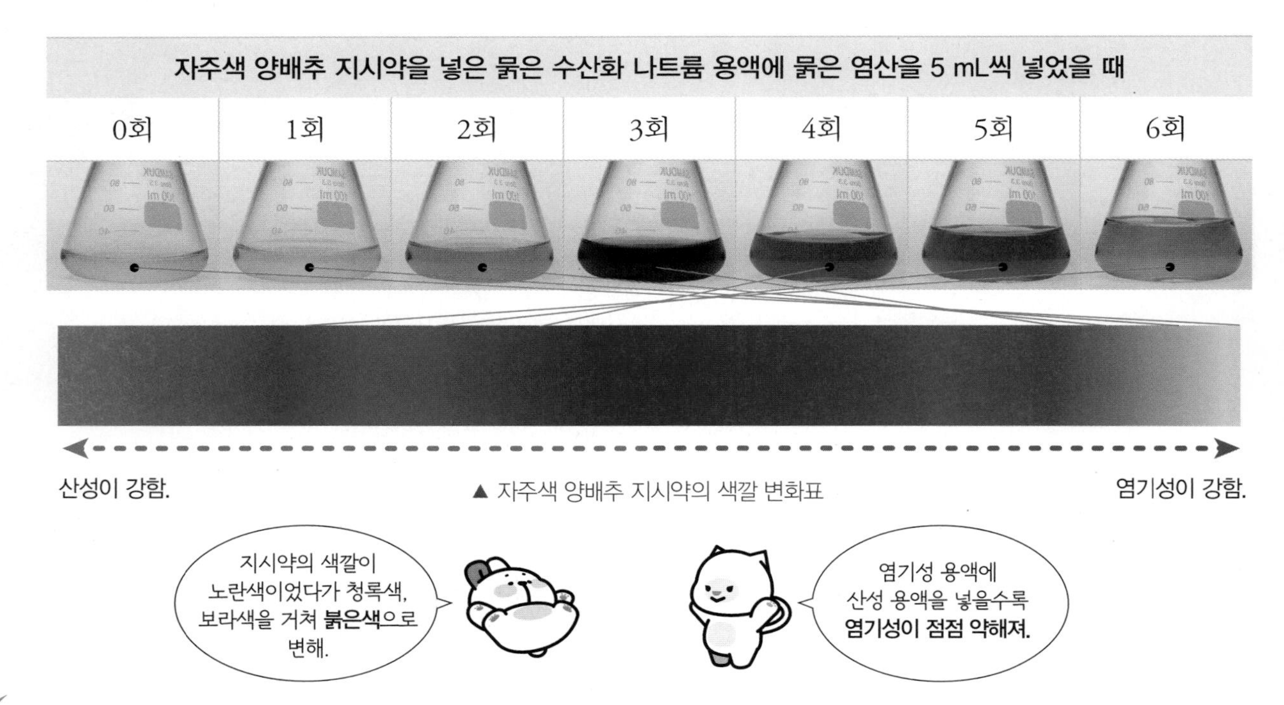

▲ 자주색 양배추 지시약의 색깔 변화표

묽은 염산에 묽은 수산화 나트륨 용액을 넣을수록 자주색 양배추 지시약의 색깔이 ❶(붉은색 / 노란색)에서 보라색을 거쳐 ❷(붉은색 / 청록색)으로 변합니다.

산성 용액과 염기성 용액의 이용

2 우리 생활에서 산성 용액과 염기성 용액은 어떻게 이용할까?

요구르트와 치약의 성질 알아보기

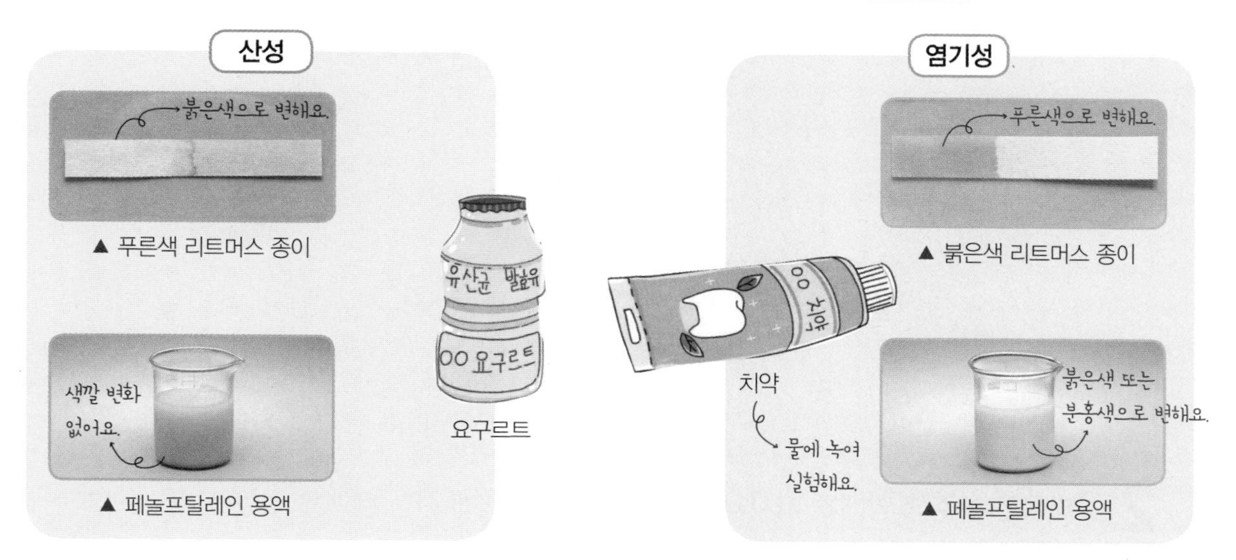

생활 속 산성 용액과 염기성 용액의 이용

산성 용액 : 생선을 손질한 도마를 닦을 때 **식초**를 사용함.

산성 용액 : 변기를 청소할 때 **변기용 세제**를 사용함.

염기성 용액 : 속이 쓰릴 때 **제산제**를 먹음.

욕실을 청소할 때 사용하는 **표백제**는 **염기성 용액**이야.

생선을 손질한 도마를 닦을 때 사용하는 식초는 ❸(산성 / 염기성) 용액이고, 속이 쓰릴 때 먹는 제산제는 ❹(산성 / 염기성)용액입니다.

정답 ❶ 붉은색 ❷ 청록색 ❸ 산성 ❹ 염기성

개념 체크

정답과 풀이 14쪽

1 염기성 용액에 산성 용액을 넣을수록 ☐☐☐이 약해집니다.

2 물에 녹인 치약에 페놀프탈레인 용액을 떨어뜨리면 ☐☐색으로 변합니다.

3 변기를 청소할 때 사용하는 변기용 세제는 ☐☐ 용액입니다.

보기
- 산성
- 염기성
- 붉은
- 푸른

4일 개념 확인하기

• 정답과 풀이 14쪽 빠른 정답 보기

1 다음 중 묽은 염산 20 mL와 자주색 양배추 지시약을 넣은 삼각 플라스크에 묽은 수산화 나트륨 용액을 가장 많이 넣은 것을 골라 기호를 쓰시오.

㉠ 

㉡ 

㉢ 

( )

2 다음은 자주색 양배추 지시약을 넣은 염기성 용액에 산성 용액을 섞었을 때의 색깔 변화에 대한 설명입니다. ㉠, ㉡에 들어갈 알맞은 말을 각각 쓰시오.

묽은 수산화 나트륨 용액에 묽은 염산을 넣으면 처음에 지시약의 색깔이 [㉠] 이었다가 청록색, 보라색을 거쳐 점차 [㉡] 으로 변합니다.

㉠ ( ) ㉡ ( )

3 다음은 위 **2**번과 같은 결과가 나타나는 까닭입니다. ( ) 안의 알맞은 말에 ○표를 하시오.

염기성 용액에 산성 용액을 넣을수록 염기성 용액의 성질이 점점 (약 / 강)해지기 때문입니다.

4 오른쪽은 물에 녹인 치약을 붉은색 리트머스 종이에 떨어뜨렸을 때의 모습입니다. 다음 중 이와 비슷한 결과가 나타나는 물질은 어느 것입니까? ( )

① 식초 ② 레몬즙 ③ 석회수
④ 사이다 ⑤ 요구르트

5 다음의 우리 생활에서 산성 용액과 염기성 용액을 이용한 예를 줄로 바르게 이으시오.

(1)

▲ 속이 쓰릴 때 제산제를 먹음.

• • ㉠

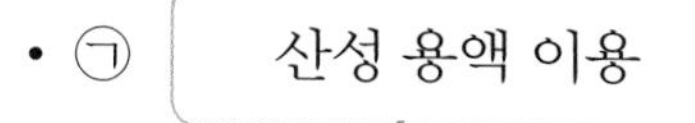

산성 용액 이용

(2)

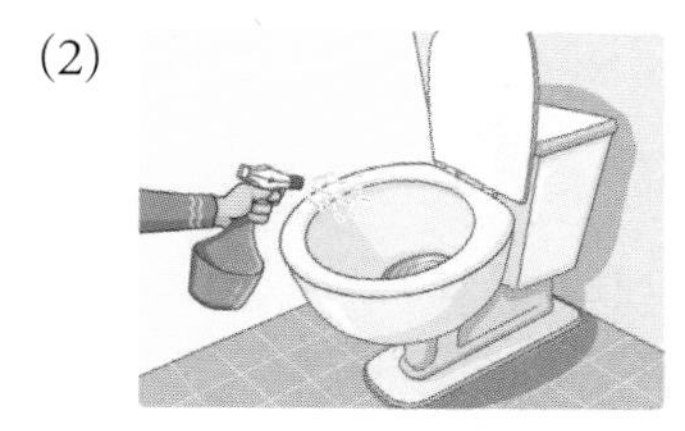

▲ 변기를 청소할 때 변기용 세제를 사용함.

• • ㉡ 염기성 용액 이용

6 오른쪽은 우리 생활에서 산성 용액을 이용한 예입니다. ㉠에 들어갈 용액으로 알맞은 것을 골라 ○표를 하시오.

식초	석회수	물에 녹인 치약

▲ 생선을 손질한 도마를 닦을 때 ㉠ 을/를 사용함.

똑똑한 하루 퀴즈

7 다음 □ 안에 들어갈 알맞은 낱말을 말 상자에서 찾아 모두 ○표를 하세요. 말 상자의 낱말은 가로, 세로, 대각선에 숨어 있어요.

강	★	염	★
★	산	기	제
약	식	성	산
초	표	백	제

1. 산성 용액에 염기성 용액을 넣을수록 □□이 점점 약해짐.
2. 염기성 용액에 산성 용액을 넣을수록 염기성이 점점 □해짐.
3. 속이 쓰릴 때 먹는 □□□은/는 염기성 용액임.

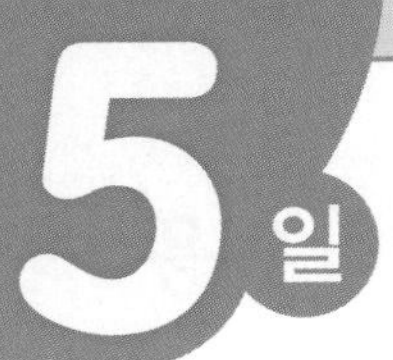

4주 마무리하기

1 여러 가지 용액 분류하기

① 여러 가지 용액을 관찰한 뒤 분류 기준을 세워 용액을 분류할 수 있습니다.

② **용액을 분류하는 다양한 기준** : 색, 투명한 정도, 냄새, 흔들었을 때 거품이 3초 이상 유지되는지 등

2 지시약

여러 가지 지시약을 이용해 용액을 분류한 결과가 같아.

① 리트머스 종이의 색깔 변화에 따라 용액 분류하기

색깔 변화	용액
푸른색 리트머스 종이 → 붉은색	식초, 레몬즙, 사이다, 묽은 염산 → 산성 용액
붉은색 리트머스 종이 → 푸른색	유리 세정제, 빨랫비누 물, 석회수, 묽은 수산화 나트륨 용액 → 염기성 용액

② 페놀프탈레인 용액의 색깔 변화에 따라 용액 분류하기

색깔 변화	용액
변화가 없음.	식초, 레몬즙, 사이다, 묽은 염산 → 산성 용액
붉은색으로 변함.	유리 세정제, 빨랫비누 물, 석회수, 묽은 수산화 나트륨 용액 → 염기성 용액

③ 자주색 양배추 지시약의 색깔 변화에 따라 용액 분류하기

색깔 변화	용액
붉은색 계열	식초, 레몬즙, 사이다, 묽은 염산 → 산성 용액
푸른색이나 노란색 계열	유리 세정제, 빨랫비누 물, 석회수, 묽은 수산화 나트륨 용액 → 염기성 용액

3 산성 용액과 염기성 용액의 성질

산성 용액과 염기성 용액에 녹는 물질이 각각 달라.

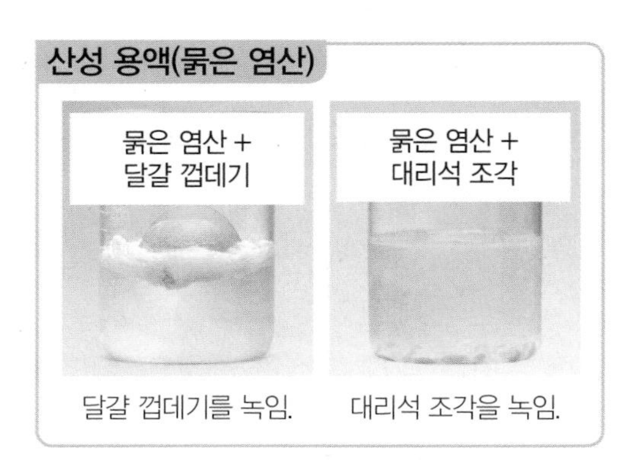

달걀 껍데기를 녹임. 대리석 조각을 녹임.

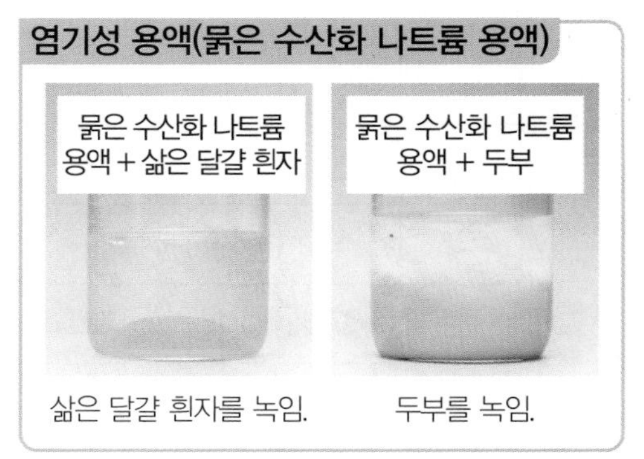

삶은 달걀 흰자를 녹임. 두부를 녹임.

산성 용액과 염기성 용액을 섞으면 각각의 성질을 잃어 버려 산성과 염기성이 약해져.

4 산성 용액과 염기성 용액의 이용

① 산성 용액과 염기성 용액을 섞으며 지시약의 색깔 변화 관찰하기

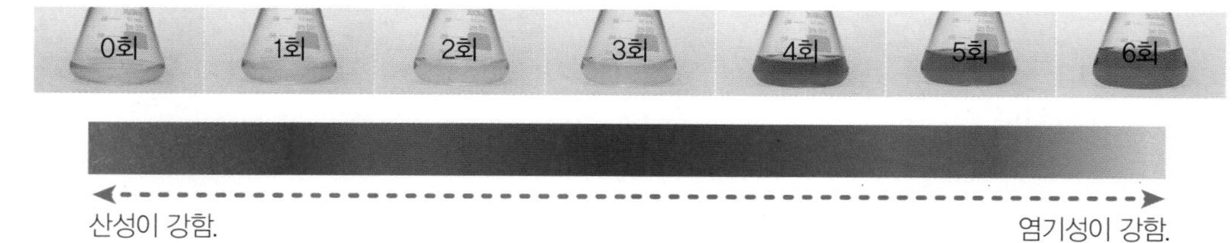

▲ 묽은 염산에 묽은 수산화 나트륨 용액을 넣을 때 자주색 양배추 지시약의 색깔 변화

산성 용액에 염기성 용액을 넣을수록	염기성 용액에 산성 용액을 넣을수록
산성이 점점 약해짐.	염기성이 점점 약해짐.

② 산성 용액과 염기성 용액 이용하기

산성 용액의 이용	염기성 용액의 이용
• 변기용 세제로 변기를 청소함. • 생선을 손질한 도마를 식초로 닦아 냄.	• 치약으로 양치질을 함. • 표백제로 욕실을 청소함. • 속이 쓰릴 때 제산제를 먹음. • 하수구가 막힐 때 하수구 세정제를 사용함.

100%

탄산음료를 마시면 왜 이빨이 잘 썩는지 알아?

그거야 탄산음료의 산성 성분이 이를 상하게 하기 때문이지.

맞아. 그래서 탄산음료를 마신 다음에는 염기성 성분인 치약으로 양치를 잘 해 줘야 해.

그런데 탄산음료를 마신 다음 바로 양치질을 하면 산성 성분으로 약해진 치아가 쉽게 닳을 수 있대. 그래서 물로 입안을 헹궈 산성 물질을 없애고 이를 닦는 것이 좋다고 해.

1일 여러 가지 용액 분류하기

1 다음 보기의 용액 중 흔들었을 때 거품이 3초 이상 유지되지 않는 용액을 골라 기호를 쓰시오.

(　　　　　　　　)

2 여러 가지 용액을 다음과 같이 분류하였을 때 분류 기준으로 옳은 것은 어느 것입니까? (　　　)

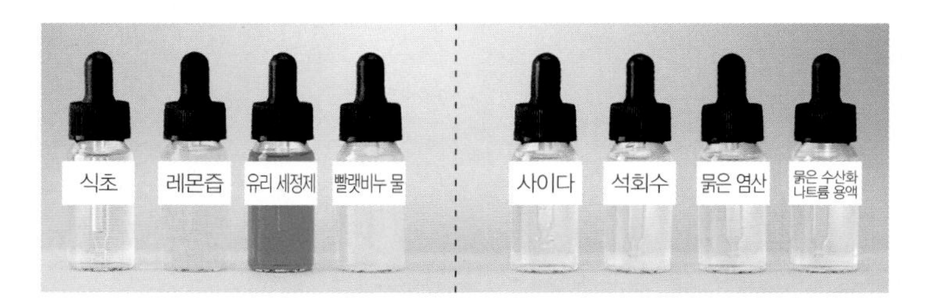

① 투명한가?
② 색깔이 있는가?
③ 냄새가 나는가?
④ 신맛이 나는가?
⑤ 흔들었을 때 거품이 3초 이상 유지되는가?

2일 지시약

3 오른쪽은 푸른색 리트머스 종이에 유리 세정제와 사이다를 각각 떨어뜨린 모습입니다. ㉠, ㉡ 중 사이다를 떨어뜨린 것은 어느 것인지 기호를 쓰시오.

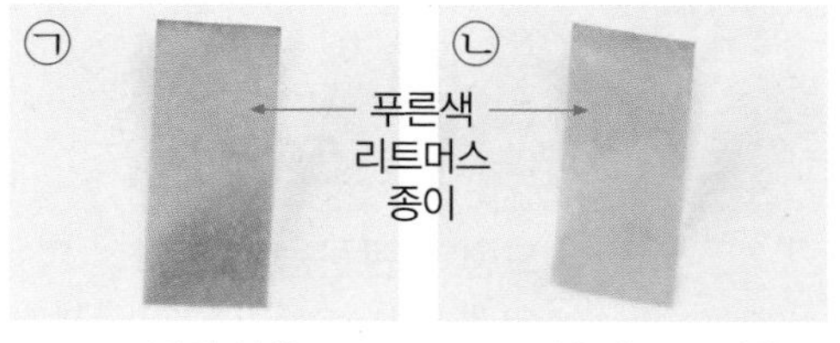

▲ 변화 없음.　　▲ 붉은색으로 변함.

(　　　　　　　　)

빠른 정답 보기
○ 정답과 풀이 15쪽

4 오른쪽은 어떤 용액에 페놀프탈레인 용액을 떨어뜨렸을 때의 결과 모습입니다. 이 용액으로 적당한 것을 두 가지 고르시오. (　　　,　　　)

① 식초　　② 레몬즙
③ 묽은 염산　　④ 빨랫비누 물
⑤ 묽은 수산화 나트륨 용액

▲ 붉은색으로 변함.

서술형

5 오른쪽은 여러 가지 용액에 자주색 양배추 지시약을 떨어뜨린 결과 모습입니다. ㉠과 ㉡ 중 염기성 용액인 것의 기호를 고르고, 그 까닭을 쓰시오.

㉠
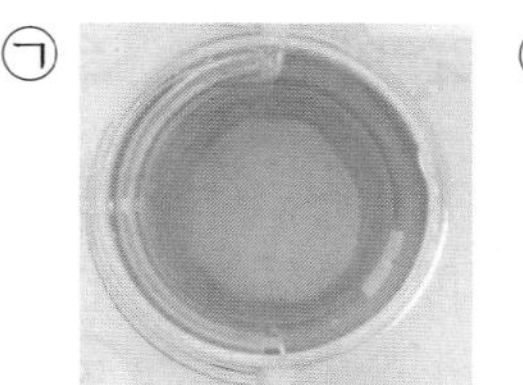
▲ 붉은색 계열의 색깔로 변함.

㉡
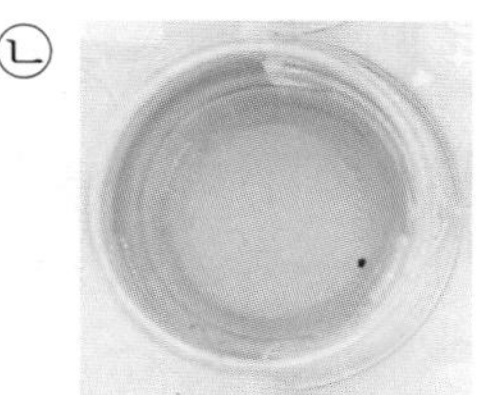
▲ 푸른색 계열의 색깔로 변함.

____

____

3일 산성 용액과 염기성 용액의 성질

6 오른쪽은 어떤 용액에 대리석 조각을 넣었을 때의 모습입니다. 이 용액으로 적당한 것을 골라 ○표를 하시오.

석회수	묽은 염산
묽은 수산화 나트륨 용액	

▲ 대리석 조각 표면에서 기포가 생기면서 녹음.

4주

7 오른쪽은 어떤 용액에 삶은 달걀 흰자를 넣었을 때의 모습입니다. 이 용액의 성질로 옳은 것을 다음 보기에서 골라 기호를 쓰시오.

▲ 삶은 달걀 흰자가 흐물흐물해짐.

보기

㉠ 푸른색 리트머스 종이가 붉은색으로 변합니다.
㉡ 이 용액에 두부를 넣으면 녹아서 흐물흐물해집니다.
㉢ 이 용액에 대리석 조각을 넣으면 기포가 발생합니다.

(　　　　　　　　)

8 다음 중 산성 용액의 성질로 옳은 것에 ○표를 하시오.

(1) 두부를 넣으면 두부가 흐물흐물해집니다. (　　　)
(2) 달걀 껍데기를 넣으면 아무런 변화가 없습니다. (　　　)
(3) 삶은 달걀 흰자를 넣으면 아무런 변화가 없습니다. (　　　)

4일 산성 용액과 염기성 용액의 이용

9 다음은 묽은 수산화 나트륨 용액과 자주색 양배추 지시약이 들어 있는 삼각 플라스크에 묽은 염산을 점점 많이 넣을 때의 모습입니다. 이에 대한 설명으로 옳지 않은 것을 보기에서 골라 기호를 쓰시오.

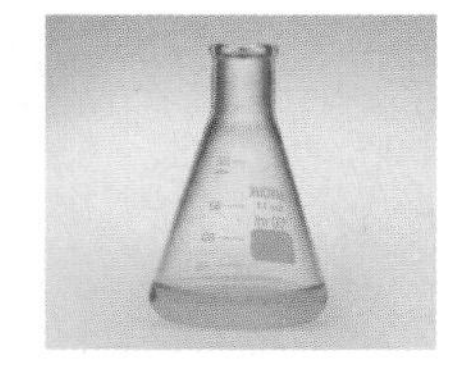

보기

㉠ 묽은 수산화 나트륨 용액의 성질이 점점 약해집니다.
㉡ 묽은 수산화 나트륨 용액의 성질이 점점 강해집니다.
㉢ 자주색 양배추 지시약의 색깔이 노란색었다가 점차 붉은색으로 변합니다.

(　　　　　　　　)

10 요구르트를 푸른색 리트머스 종이에 묻혔더니 오른쪽과 같이 변했습니다. 요구르트는 산성과 염기성 중 어떤 성질의 용액인지 쓰시오.

( ) 용액

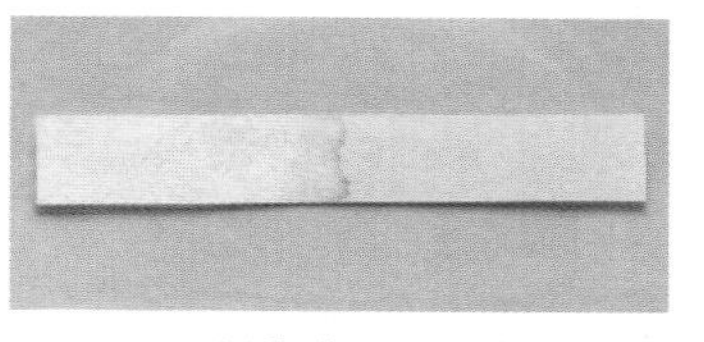

▲ 붉은색으로 변함.

11 다음 보기에서 염기성 용액을 이용하는 것을 골라 기호를 쓰시오.

보기

㉠ 속이 쓰릴 때 제산제를 먹습니다.
㉡ 변기를 청소할 때 변기용 세제를 사용합니다.
㉢ 생선을 손질한 도마를 닦을 때 식초를 사용합니다.

( )

4주

똑똑한 하루 퀴즈

12 다음 십자말풀이를 해 보세요.

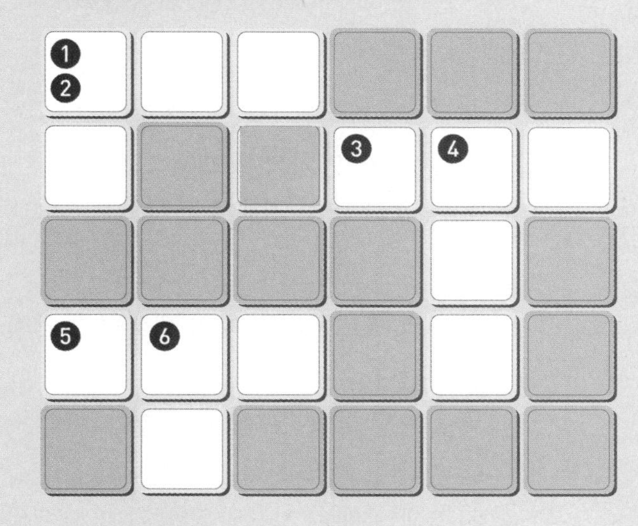

가로

1. 페놀프탈레인 용액을 떨어뜨렸을 때 붉은색으로 변하는 성질의 용액. □□□ 용액
3. 석고나 시멘트의 성분으로 쓰이는 하얀색 가루. □□□
5. 속이 쓰릴 때 먹는 약. □□□

세로

2. 대리석을 녹이는 산성 용액. 묽은 □□
4. 석회수와 사이다 중 염기성인 용액.
6. 푸른색 리트머스 종이를 붉게 변화시키는 성질의 용액. □□ 용액

누구나 100점 TEST

맞은 개수 /10개

1 다음에서 설명하는 용액으로 적당한 것은 어느 것입니까? (　　　)

- 불투명합니다.
- 냄새가 납니다.
- 연한 노란색입니다.
- 흔들었을 때 거품이 3초 이상 유지되지 않습니다.

① 식초
② 레몬즙
③ 석회수
④ 사이다
⑤ 묽은 수산화 나트륨 용액

2 여러 가지 용액을 다음과 같이 분류하였을 때 분류 기준으로 옳은 것은 어느 것입니까? (　　　)

① 투명한가?
② 냄새가 나는가?
③ 색깔이 있는가?
④ 신맛이 나는가?
⑤ 흔들었을 때 거품이 3초 이상 유지되는가?

3 다음은 식초를 만났을 때의 지시약의 색깔 변화에 대해 친구들끼리 이야기한 내용입니다. 틀리게 말한 친구의 이름을 쓰시오.

일영 : 푸른색 리트머스 종이가 붉은색으로 변해.
유정 : 페놀프탈레인 용액도 붉은색으로 변하지.
연희 : 자주색 양배추 지시약도 붉은색 계열의 색깔로 변해.

(　　　　　　　　)

4 오른쪽은 어떤 용액에 자주색 양배추 지시약을 떨어뜨렸을 때의 결과 모습입니다. 이 용액으로 적당한 것은 어느 것입니까? (　　　)

▲ 푸른색 계열의 색깔로 변함.

① 식초　② 레몬즙
③ 사이다　④ 묽은 염산
⑤ 유리 세정제

5 다음 보기에서 염기성 용액에 대한 설명으로 옳지 않은 것을 골라 기호를 쓰시오.

보기
㉠ 푸른색 리트머스 종이의 색깔이 변하지 않습니다.
㉡ 페놀프탈레인 용액의 색깔이 변하지 않습니다.
㉢ 자주색 양배추 지시약의 색깔이 노란색 계열의 색깔로 변합니다.

(　　　　　　　　)

6 다음 ㉠과 ㉡ 중 한 가지는 묽은 염산에, 다른 한 가지는 묽은 수산화 나트륨 용액에 물질을 넣었을 때의 결과입니다. 묽은 수산화 나트륨 용액에 넣은 것의 기호를 쓰시오.

㉠ 
▲ 대리석 조각 표면에서 기포가 발생함.

㉡ 
▲ 두부가 흐물흐물해짐.

( )

7 다음은 서울 원각사지 십층 석탑에 유리 보호 장치를 한 까닭입니다. ( ) 안의 알맞은 말에 ○표를 하시오.

> 서울 원각사지 십층 석탑은 대리석이기 때문에 (산성 / 염기성)을 띤 빗물에 훼손될 수 있어 유리 보호 장치를 했습니다.

8 다음 중 묽은 수산화 나트륨 용액 20 mL와 자주색 양배추 지시약을 넣은 삼각 플라스크에 묽은 염산을 가장 많이 넣은 것을 골라 기호를 쓰시오.

㉠ 
㉡ 
㉢ 

( )

9 다음은 요구르트를 푸른색 리트머스 종이에 묻혔을 때의 색깔 변화입니다. 이 요구르트에 페놀프탈레인 용액을 떨어뜨렸을 때의 색깔 변화를 쓰시오.

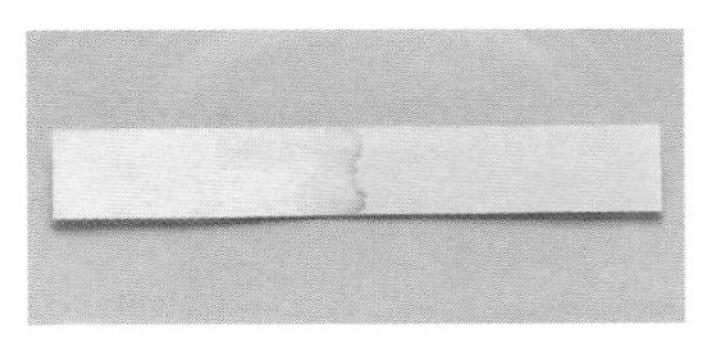
▲ 푸른색 리트머스 종이가 붉게 변함.

( )

10 다음은 우리 생활에서 산성 용액과 염기성 용액을 이용하는 예입니다. ㉠~㉣ 중 산성 용액을 이용하는 것끼리 바르게 짝지어진 것은 어느 것입니까? ( )

㉠ 

▲ 생선을 손질한 도마를 식초로 닦아 냄.

㉡ 
▲ 변기용 세제로 변기를 청소함.

㉢ 
▲ 속이 쓰릴 때 제산제를 먹음.

㉣ 

▲ 표백제로 욕실을 청소함.

① ㉠, ㉡
② ㉠, ㉢
③ ㉡, ㉢
④ ㉡, ㉣
⑤ ㉢, ㉣

4주

생활 속 과학

우리 생활 속에서 산과 염기가 어떻게 이용되는지 알아봅니다.

산성 용액과 염기성 용액의 이용

회를 먹기 전에 레몬즙을 뿌려요.

회를 먹을 때 레몬즙을 뿌리면 생선 비린내가 나지 않아요. 비린내는 염기성 물질로 이루어져 있어요. 레몬즙은 산성 물질로 이루어져 있고요. 산성인 레몬즙과 염기성인 비린내가 만나면 레몬의 신맛도 없어지고, 비린내도 나지 않아요.

개미에 물렸거나 벌에 쏘였을 때 암모니아수를 발라요.

개미나 벌의 침 속에는 산성 물질이 들어 있어서, 개미나 벌에게 물리면 피부가 붓거나 매우 아파요. 이때 암모니아수와 같은 염기성 용액을 바르면 아픈 곳이 가라앉아요. 이것은 산성을 띤 곤충의 독이 염기성 용액인 암모니아수를 만나 약해지기 때문이에요.

김치를 시지 않게 보관할 때 조개껍데기를 이용해요.

김치가 오래되면 신맛이 나는데, 젖산이라는 산성 물질이 생성되기 때문이에요. 이때 조개껍데기와 같은 염기성 물질을 김치를 넣은 용기에 함께 넣어 두면 조개껍데기가 젖산을 약하게 하여 김치를 시어지지 않게 오래 보관할 수 있어요.

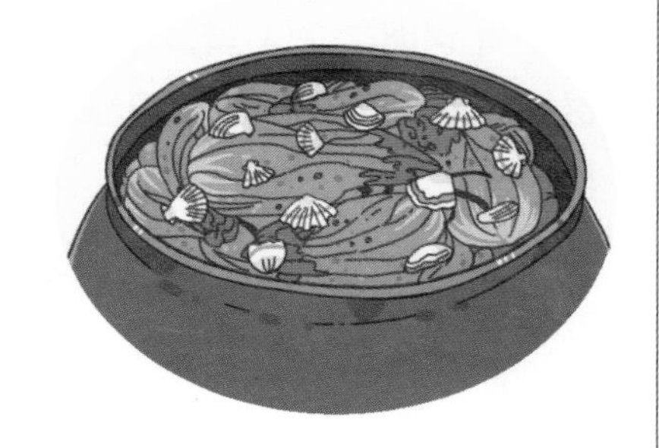

정답과 풀이 16쪽

빠른 정답 보기

1 다음 여러 가지 상황 중 사다리를 타고 내려갔을 때 산성 용액을 이용하는 경우의 용액 이름을 쓰세요.

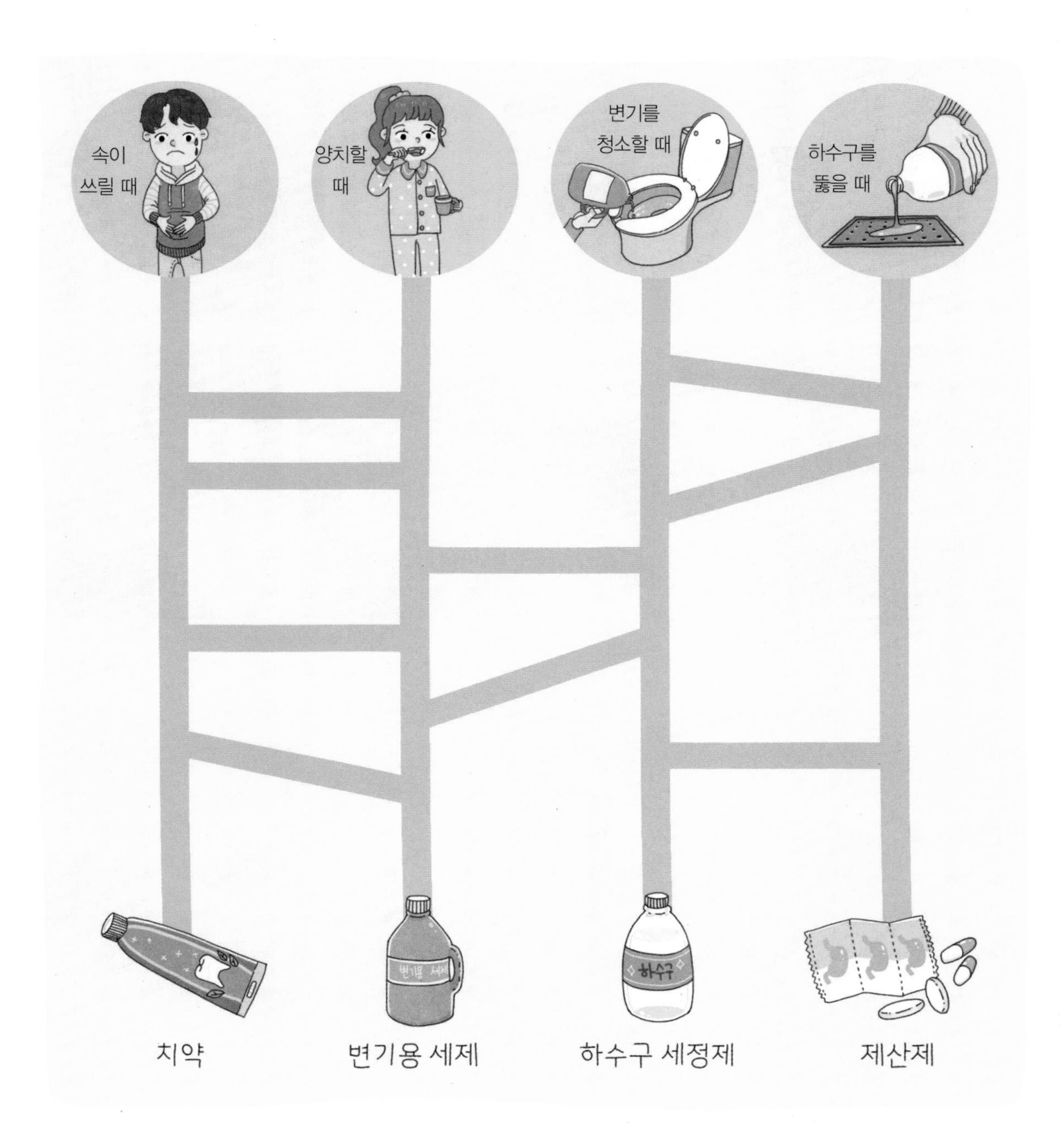

정답

사고 쑥쑥

페놀프탈레인 용액의 성질을 알아봅니다.

2 다음 만화를 읽고 페놀프탈레인 용액으로 쓴 종이의 글씨를 읽을 수 있는 방법을 아래의 카드에 적힌 용어 중 3개의 용어를 사용하여 쓰세요.

글씨를 읽을 수 있는 방법

페놀프탈레인 용액은 ❶ ________ 용액에서 ❷ ________ 으로 변하므로 퀴즈가 적힌 종이에 ❸ ________ 을/를 묻히면 글씨를 읽을 수 있습니다.

3 소예는 다음의 퀴즈를 모두 풀어 도착 지점까지 가려고 해요. 산성 용액과 염기성 용액에 대한 설명 중 옳은 내용이면 파란색 화살표를, 틀린 내용이면 붉은색 화살표를 따라 가세요. 소예가 무사히 도착하도록 옳은 답을 찾아 선으로 연결해 보세요.

논리 탄탄

여러 가지 용액의 성질을 알아봅니다.

4 다음의 여러 가지 용액들 사이에는 귀여운 동물들이 숨어 있어요. '식초'에서 시작하여 오른쪽의 ❶번 내용부터 확인하며 움직여요. [실행 규칙]에 따라 ❶~❺번의 모든 내용을 모두 확인했을 때 도착한 곳에 있는 동물을 맞춰보세요.

[실행 규칙]
- 옳은 내용일 때 : 오른쪽으로 2칸 이동
- 틀린 내용일 때 : 아래쪽으로 1칸 이동
- ◎ : 왼쪽으로 1칸 이동

❶ 푸른색 리트머스 종이가 붉은색으로 변한다.
❷ 페놀프탈레인 용액의 색깔이 변하지 않는다.
❸ 자주색 양배추 지시약이 붉은색으로 변한다.
❹ 두부를 넣으면 녹는다.
❺ 달걀 껍데기를 넣으면 변화가 없다.

정답

산성 용액에 염기성 용액을 점점 많이 넣을 때 자주색 양배추 지시약의 색깔 변화를 알아봅니다.

5 다음은 여러 가지 색깔의 용액이 들어 있는 삼각 플라스크 모양의 코딩판이에요. 자주색 양배추 지시약을 몇 방울 떨어뜨린 묽은 염산에 묽은 수산화 나트륨 용액을 점점 많이 넣었을 때 색깔이 변하는 순서에 맞게 주어진 [코딩 순서]를 보고, 나타나는 4가지 색깔을 순서대로 쓰세요.

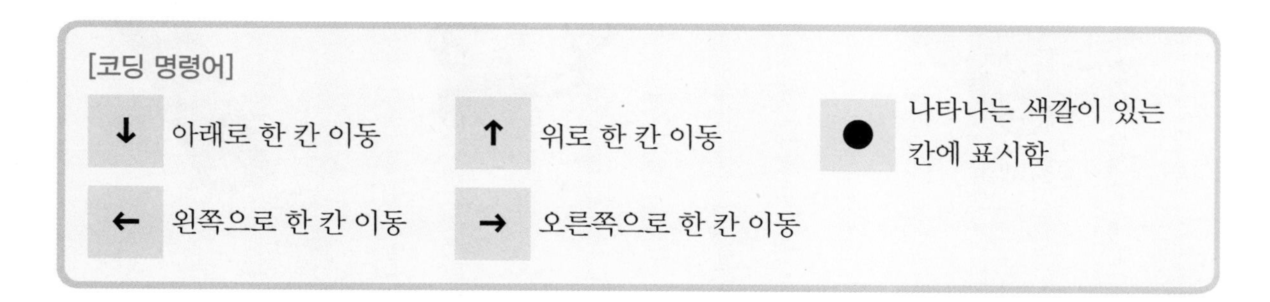

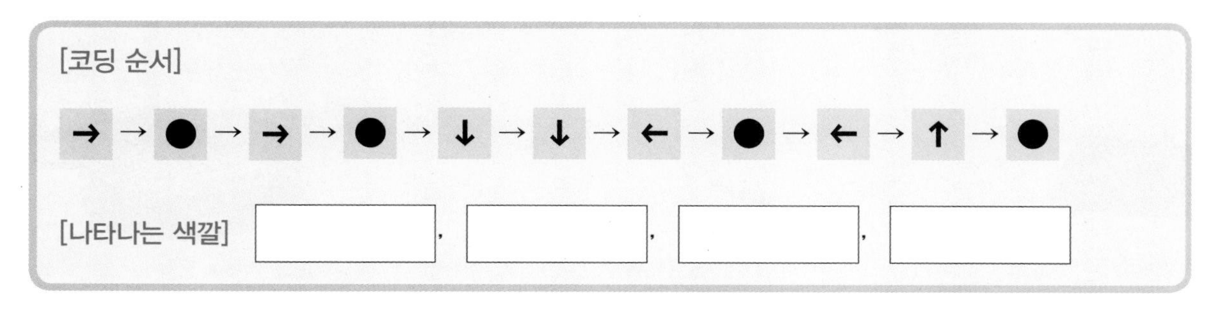

여러 가지 실험 기구

▲ 전자저울

▲ 초시계

▲ 액정 온도계

▲ 삼각 플라스크

▲ 공기 주입 마개

▲ 점화기

▲ 스탠드

▲ 집기병

▲ 스포이트

▲ 전등

정답과 풀이

1주 생물과 환경

1일 생태계

15쪽 개념 체크

1 생물 2 비생물 3 양분

16~17쪽 개념 확인하기

1 (1) ㉠ (2) ㉡ 2 ② 3 ㉢
4 ⑤ 5 예 다른 생물 6 분해자

똑똑한 하루 퀴즈

7

난	색	양	분
생		털	해
태	산	판	
계	곡	자	석
	선	유	기

❶ 생태계 ❷ 양분 ❸ 생산자

풀이

1 동물과 식물 등과 같이 살아 있는 것은 생물 요소라고 하고, 공기, 햇빛, 물 등과 같이 살아 있지 않은 것은 비생물 요소라고 합니다.

2 ①, ③, ④는 살아 있는 생물 요소이고, ②는 살아 있지 않은 비생물 요소입니다.

3 어떤 장소에서 서로 영향을 주고받는 생물 요소와 비생물 요소를 생태계라고 합니다.

4 생물 요소는 양분을 얻는 방법에 따라 생산자, 소비자, 분해자로 분류할 수 있습니다.

5 배추흰나비, 고양이, 개미, 호랑이, 토끼 등과 같이 다른 생물을 먹이로 하여 살아가는 생물은 소비자에 해당합니다.

6 세균, 곰팡이, 버섯은 주로 죽은 생물이나 배출물을 분해하여 양분을 얻는 분해자입니다.

7 ❶은 생태계, ❷는 양분, ❸은 생산자입니다.

2일 생물의 먹이 관계 / 생태계 평형

21쪽 개념 체크

1 그물 2 1차 3 평형

22~23쪽 개념 확인하기

1 ② 2 사슬 3 ㉢ 4 ④, ⑤

집중 연습 문제

5 ㈏ 6 ㉠ 예 줄어

풀이

1 메뚜기는 벼, 옥수수 등과 같은 식물을 먹습니다.

2 먹이 사슬과 먹이 그물은 공통적으로 생물이 서로 먹고 먹히는 관계에 있음을 보여 줍니다.

3 뱀은 참새, 토끼, 다람쥐, 개구리 등을 잡아먹으며, 개구리는 나방 애벌레, 메뚜기 등을 잡아먹습니다.

4 생태계 평형은 홍수나 산불과 같은 자연 현상이나 댐, 도로 건설 등과 같은 사람들의 활동에 의해 깨질 수 있습니다. 깨진 생태계를 회복하려면 오랜 시간과 노력이 필요합니다.

5 ㈎는 최종 소비자, ㈏는 2차 소비자, ㈐는 1차 소비자, ㈑는 생산자입니다.

6 생태 피라미드에서 생물의 수나 양은 먹이 단계가 올라갈수록 줄어듭니다. 생산자인 ㈑ 생물의 수 또는 양이 가장 많고, 최종 소비자인 ㈎ 생물의 수 또는 양이 가장 적습니다.

3일 비생물 요소가 생물에 미치는 영향 / 적응

27쪽 개념 체크

1 초록 2 낮아 3 겨울잠

정답과 풀이

28~29쪽 개념 확인하기

1 ③ 2 (1) × (2) × (3) ○ 3 ③
4 예 서식지 5 ① 6 ㉡

똑똑한 하루 퀴즈

7

생	활	방	식
김	햇	❶	물
새	우	빛	깔
❸	해	적	응

❶ 햇빛 ❷ 적응 ❸ 생김새

풀이

1 햇빛을 받은 콩나물은 떡잎이 초록색이 되고, 물을 주어 기른 콩나물은 길쭉하게 자랍니다.

2 햇빛과 물은 모두 콩나물의 자람에 영향을 줍니다.

3 햇빛은 동물이 물체를 볼 수 있게 해 주며, 식물이 양분을 얻는 데에도 꼭 필요합니다.

4 생물은 각 서식지 환경에서 살아남기에 유리한 특징을 지녀야 자손을 남길 수 있습니다.

5 선인장의 굵은 줄기와 뾰족한 가시는 건조한 환경에서 생김새를 통해 적응된 결과입니다.

6 ㉡은 생김새를 통해 생물이 환경에 적응된 예입니다.

7 ❶은 햇빛, ❷는 적응, ❸은 생김새입니다.

4일 환경 오염 / 생태계 보전

33쪽 개념 체크

1 대기 2 산소 3 분리

34~35쪽 개념 확인하기

1 ① 2 지연 3 ②, ③ 4 ㉢

집중 연습 문제

5 수질(물) 6 ⑤

풀이

1 오염 물질의 배출로 환경이 오염되는 것 외에도 사람들은 도로를 만들거나 건물을 지으면서 생물의 서식지를 파괴하기도 합니다.

2 황사나 미세 먼지가 발생하면 대기가 오염되어서 동물의 호흡 기관에 이상이 생기거나 병에 걸릴 수 있습니다.

3 유조선에서 기름이 유출되면 수질이 오염되어 물에서 악취가 나고 물에 산소가 부족해서 물고기가 죽게 됩니다.

4 나무를 심으면 나무에서 산소가 나와 공기를 맑게 해 줍니다. 생태계 보전을 위해서는 일회용품 사용을 줄이고, 가까운 거리는 걷거나 자전거를 타고 이동해야 합니다.

5 공장 폐수의 배출은 수질(물)을 오염시키는 원인이 됩니다.

6 농약을 많이 사용하는 것은 토양(흙) 오염의 원인이 되지만, 농약 사용을 금지하는 것은 환경 오염의 원인이 되지 않습니다.

5일 1주 마무리하기

38~41쪽 마무리하기 문제

1 생태계 2 ③ 3 소비자 4 ②
5 ② 6 ㉣ 7 ㉠ 8 ㉡
9 (1) 예 물체를 보는 데 필요하다
(2) 예 스스로 양분을 만드는 데 필요하다
10 ③ 11 ㉡ 12 승기

똑똑한 하루 퀴즈

13

		❸철		
❶❷생	김	새		
태				
계		❹양		
		❺분	해	자

풀이

1 생태계에는 어항, 화단, 연못과 같이 규모가 작은 생태계도 있고, 숲, 바다와 같이 규모가 큰 생태계도 있습니다.

2 ㉠, ㉢, ㉤은 생물 요소이고, ㉡, ㉣은 비생물 요소입니다.

3 생태계의 생물 요소는 양분을 얻는 방법에 따라 생산자, 소비자, 분해자로 분류합니다.

4 ①, ⑤는 생산자, ②는 분해자, ③, ④는 소비자에 해당합니다.

5 실제 생태계에서는 생물의 먹고 먹히는 관계가 여러 방향이기 때문에 먹이 그물의 형태로 나타납니다.

6 먹이 단계가 올라갈수록 생물의 수 또는 양이 줄어듭니다.

7 특정 생물의 수나 양이 갑자기 늘거나 줄어들면 생태계 평형이 깨집니다.

8 콩나물이 자라는 데에는 햇빛과 물이 필요하므로 햇빛이 잘 드는 곳에 두고 물을 주어 기른 콩나물이 가장 잘 자랍니다.

9 햇빛은 동물이 물체를 보는데 필요하고 식물이 스스로 양분을 만드는 데 꼭 필요합니다. 또한 햇빛은 꽃이 피는 시기와 동물의 번식 시기에도 영향을 줍니다.

인정 답안

햇빛이 생물에 미치는 영향을 동물과 식물에게 미치는 영향으로 나누어 정확히 구분하여 써야 정답으로 인정합니다.

인정 답안의 예

(1) 동물의 번식 시기에도 영향을 준다. 등

(2) 꽃이 피는 시기에 영향을 준다. 등

10 다람쥐는 겨울잠을 자는 행동을 통해 몸에 저장된 양분을 천천히 사용하여 추운 겨울을 지내기 유리합니다.

11 ㉠은 토양(흙) 오염, ㉢은 수질(물) 오염의 직접적인 원인입니다.

12 환경 오염은 생물에게 해로운 영향을 미칩니다.

13 ❶은 생김새, ❷는 생태계, ❸은 철새, ❹는 양분, ❺는 분해자입니다.

1주 | TEST+특강

42~43쪽 누구나 100점 TEST

1 (1) 비 (2) 생 (3) 생 (4) 비 2 (1) ㉡ (2) ㉢ (3) ㉠
3 ⑤ 4 (1) × (2) × (3) ○ 5 ㉣
6 예 균형 7 ③ 8 ㉢ 9 ②
10 (1) ○ (2) × (3) ○ (4) ×

풀이

1 햇빛과 흙처럼 살아 있지 않은 것은 비생물 요소이고, 연꽃과 붕어처럼 살아 있는 것은 생물 요소입니다.

2 생태계의 생물 요소는 양분을 얻는 방법에 따라 생산자, 소비자, 분해자로 분류할 수 있습니다.

3 토끼와 메뚜기는 소비자이고, 버섯은 분해자이며, 봉숭아와 느티나무는 생산자입니다.

4 실제 생태계에서 생물은 여러 생물을 먹이로 하고 여러 생물에게 잡아먹힙니다. 생태계에서 생물의 먹이 관계가 사슬처럼 연결되어 있는 것을 먹이 사슬이라고 합니다.

5 생태 피라미드에서 생물의 수 또는 양은 먹이 단계가 올라갈수록 줄어듭니다.

6 생태계에서 특정 생물의 수나 양이 갑자기 늘거나 줄어들면 생태계 평형이 깨집니다.

7 동물은 공기가 없으면 숨을 쉴 수 없습니다.

8 선인장의 굵은 줄기에는 물이 저장되어 있습니다. 선인장의 잎은 가시 모양으로 변하여 증발되는 물의 양을 줄여 건조한 환경에서 살기에 알맞게 적응되었습니다.

9 ①, ④는 대기, ③은 토양을 오염시키는 원인입니다.

10 생태계를 보전하기 위해서는 가까운 곳을 갈 때는 자동차 대신 걷거나 자전거를 타고 이동하며 일회용품을 사용하지 않아야 합니다.

45쪽 생활 속 과학 융합

❶

어디로 나가야 나도 붉게 물들 수 있을까?

햇빛

물

온도

풀이

❶ 온도의 영향으로 식물의 잎에 단풍이 들거나 낙엽이 집니다.

46~47쪽 사고 쑥쑥 창의

❷ (1) 분해자 (2) 소비자 (3) 생산자

❸ (1) 예 공기가 오염되는 것을 줄일 수 있다

(2) 예 음식물 쓰레기 발생을 줄여 환경 오염을 줄일 수 있다

풀이

❷ (1) 7칸을 이동하면 '버섯' 칸에 도착합니다. (2) 버섯 칸에서 6칸을 더 이동하면 '토끼' 칸에 도착합니다. (3) 토끼 칸에서 4칸을 더 이동하면 '벼' 칸에 도착합니다. ➡ 버섯은 분해자, 토끼는 소비자, 벼는 생산자입니다.

❸ • 자동차에서 나오는 배기가스는 공기를 오염시키는 원인이 되므로 가까운 거리를 갈 때 자전거를 타고 이동하면 공기 오염을 줄일 수 있습니다.

• 음식물 쓰레기를 처리하는 데에는 많은 비용이 들고 환경을 오염시키는 원인이 되므로 음식을 남기지 않으면 생태계를 보전하는 데 도움이 됩니다.

48~49쪽 논리 탄탄 코딩

❹ 메뚜기에 ○표

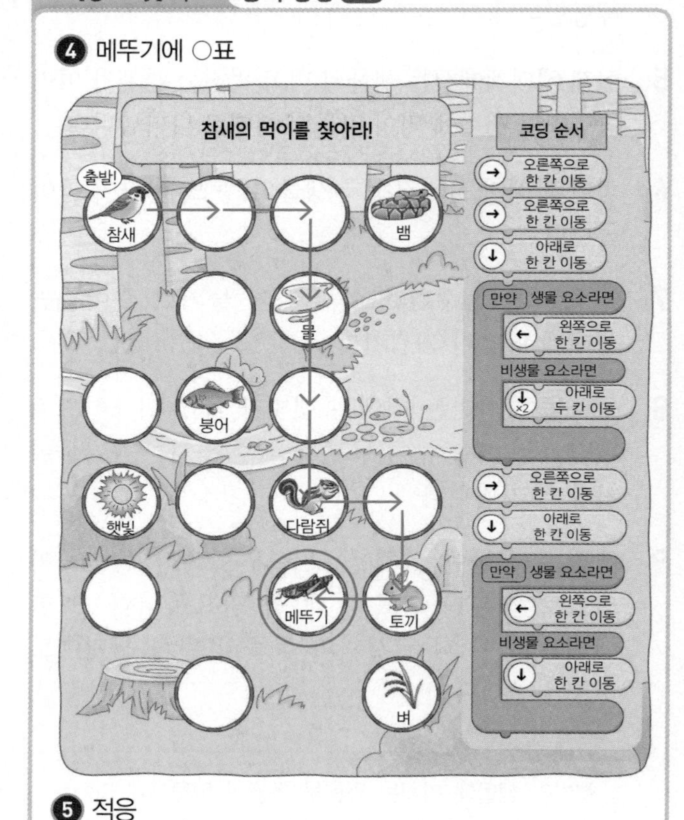

❺ 적응

풀이

❹ →, →, ↓ 순서로 이동하면 '물' 칸에 도착합니다. 물은 비생물 요소이므로 아래로 두 칸 이동합니다. 이후 →, ↓ 순서로 이동하면 '토끼' 칸에 도착합니다. 토끼는 생물 요소이므로 왼쪽으로 한 칸 이동하면 메뚜기 칸에 도착합니다.

❺ 특정한 서식지에서 오랜 기간에 걸쳐 살아남기에 유리한 특징이 자손에게 전달되는 것을 적응이라고 합니다.

2주 날씨와 우리 생활

1일 습도 / 이슬과 안개

57쪽 개념 체크

1 습도계　**2** 낮을　**3** 이슬

58~59쪽 개념 확인하기

1 수증기　**2** ④　**3** 71　**4** ㉢, ㉣
5 이슬　**6** ④

똑똑한 하루 퀴즈

7

안	★	습	★
★	개	헝	도
이	겊	★	★
슬	★	응	결

❶ 습도 ❷ 이슬 ❸ 안개 ❹ 응결

풀이

1 공기 중에 수증기가 포함된 정도를 습도라고 합니다. 건습구 습도계를 이용하여 습도를 측정할 수 있습니다.

2 건습구 습도계를 만들 때에는 알코올 온도계, 헝겊 조각, 비커, 뷰렛 집게, 스탠드, 고무줄 등이 필요합니다.

3 습도표에서 세로줄(건구 온도)의 16 ℃와 가로줄(건구 온도와 습구 온도의 차)의 3 ℃가 만나는 지점의 숫자는 71이므로, 습도는 71 %입니다.

4 습도가 높으면 음식이 부패하기 쉽고, 빨래가 잘 마르지 않습니다.

5 집기병에 물과 조각 얼음을 넣고 조금 시간이 지난 뒤 집기병 표면에 작은 물방울이 맺히는 결과와 비슷한 자연 현상은 이슬입니다.

6 안개 발생 실험은 응결에 의한 현상을 알아보는 실험입니다.

7 ❶ 공기 중에 수증기가 포함된 정도를 습도라고 합니다.
❷ 이슬은 밤에 차가워진 나뭇가지나 풀잎 표면 등에 수증기가 응결해 물방울로 맺히는 것입니다.
❸ 밤에 지표면 근처의 공기가 차가워지면서 공기 중 수증기가 응결해 작은 물방울로 떠 있는 것을 안개라고 합니다.
❹ 공기 중의 수증기가 물방울로 변하는 현상을 응결이라고 합니다.

2일 구름 / 고기압과 저기압

63쪽 개념 체크

1 구름　**2** 기압　**3** 무거운

64~65쪽 개념 확인하기

1 ③　**2** 응결　**3** ㉢　**4** 비
5 ㉠ 차가운 공기　㉡ 따뜻한 공기

집중 연습 문제

6 (1) ㉠ (2) ㉡　고기압 > 저기압

7

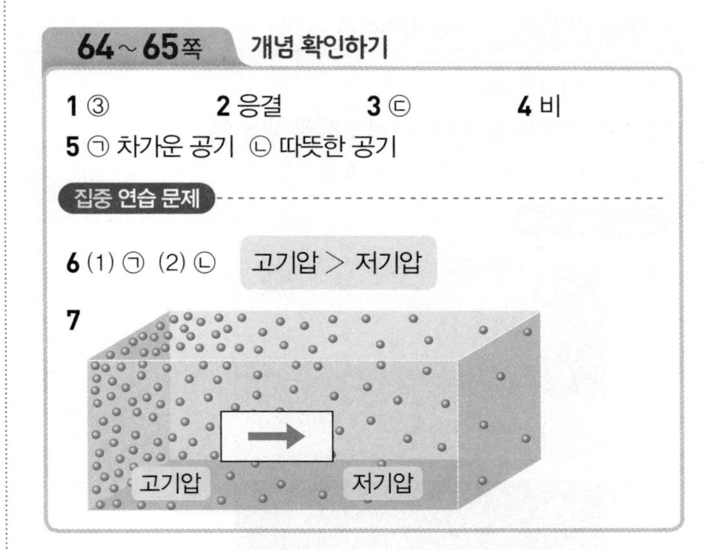

풀이

1 페트병 안 온도가 낮아지고 뿌옇게 흐려지며, 수증기가 응결합니다.

2 페트병 안이 뿌옇게 흐려지는 것은 공기 중 수증기가 응결해 물방울이 되었기 때문입니다.

3 실험의 결과 페트병 안이 뿌옇게 흐려지는 것은 구름이 만들어지는 현상과 비슷합니다.

4 구름 속 물방울이 무거워 떨어지거나 얼음 알갱이가 무거워져 떨어지면서 녹으면 비가 됩니다.

5 차가운 공기는 따뜻한 공기보다 일정한 부피에 들어 있는 공기 알갱이의 양이 더 많기 때문에 더 무겁습니다.

6 상대적으로 공기가 무거운 것을 고기압, 공기가 가벼운 것을 저기압이라고 합니다.

7 어느 두 지점 사이에 기압 차가 생기면 공기는 고기압에서 저기압으로 이동합니다.

3일 해풍과 육풍

69쪽 개념 체크

1 온도　　2 빠르게　　3 해풍

70~71쪽 개념 확인하기

1 (1) 바다 (2) 육지
2 ㉠ 예 전등을 켰을 때 ㉡ 예 전등을 껐을 때
3 (1) ㉡ (2) ㉠　　4 ㉢

집중 연습 문제

5 (1)

(2)

- 낮 : 육지 > 바다
- 밤 : 육지 < 바다

6 고기압

풀이

1 모래와 물의 온도 변화 실험에서 모래는 육지, 물은 바다, 전등은 태양을 나타냅니다.

2 ㉠은 전등을 켰을 때이고, ㉡은 전등을 껐을 때의 결과입니다.

3 전등을 켜면 모래는 빨리 데워지고 물은 천천히 데워집니다. 전등을 끄면 모래는 빨리 식고, 물은 천천히 식습니다.

4 물 위 공기는 고기압, 모래 위 공기는 저기압입니다.

5 낮에는 바다에서 육지로 해풍이 불고, 밤에는 육지에서 바다로 육풍이 붑니다.

6 낮에는 바다 위가 고기압이고, 밤에는 육지 위가 고기압입니다.

4일 계절별 날씨와 우리 생활

75쪽 개념 체크

1 건조　　2 여름　　3 감기

76~77쪽 개념 확인하기

1 ㉡　　2 예 비슷한　　3 (1) ㉡ (2) ㉠
4 (1) ○ (2) × (3) ×

집중 연습 문제

5 ㉠ 겨울 ㉡ 여름

- 차갑고 건조한 계절 ➡ 겨울
- 따뜻하고 습한 계절 ➡ 여름

6 ③, ⑤

풀이

1 따뜻하고 습한 지역의 공기 덩어리는 따뜻하고 습한 성질이 있습니다.

2 공기 덩어리가 한 지역에 오랫동안 머물게 되면 공기 덩어리는 그 지역의 온도나 습도와 비슷한 성질을 갖게 됩니다.

3 맑고 따뜻한 날은 간편한 옷차림을 하고 야외 활동을 주로 합니다. 춥고 눈이 내리는 날은 두꺼운 옷을 입고 실내 활동을 주로 합니다.

4 꽃가루나 황사가 많은 봄에는 비염에 걸리기 쉽습니다.

5 우리나라는 겨울에 북서쪽 대륙에서 이동해 오는 공기 덩어리의 영향을 받고, 여름에는 남동쪽 바다에서 이동해 오는 공기 덩어리의 영향을 받습니다.

6 ㉠은 남서쪽 대륙에서 이동해 오는 따뜻하고 건조한 공기 덩어리로, 봄, 가을에 영향을 미칩니다.

5일 2주 마무리하기

80~83쪽 마무리하기 문제

1 습구 온도계 **2** 예 감기 **3** ④
4 안개 **5** ㉢ **6** 예 공기 중 수증기가 응결해 물방울이 되거나 얼음 알갱이 상태로 하늘에 떠 있는 것
7 바람 **8** < **9** ⑤ **10** ㉡
11 ③ **12** (1) ㉡ (2) ㉠
13 따뜻한, 춥고

똑똑한 하루 퀴즈

14

<table>
<tr><td></td><td>❶해</td><td></td><td></td><td>❷저</td></tr>
<tr><td>❸육</td><td>풍</td><td></td><td>❹공</td><td>기</td></tr>
<tr><td></td><td></td><td></td><td></td><td>압</td></tr>
<tr><td>❺알</td><td>갱</td><td>❻이</td><td></td><td></td></tr>
<tr><td></td><td></td><td>슬</td><td></td><td></td></tr>
</table>

풀이

1 습구 온도계는 액체샘을 헝겊으로 감싸서 헝겊의 아랫부분을 물이 담긴 그릇에 담근 온도계입니다.

2 습도가 낮을 때는 감기에 걸리기 쉽습니다.

3 이슬은 밤에 차가워진 나뭇가지나 풀잎 표면 등에 수증기가 응결해 물방울로 맺히는 현상입니다.

4 집기병 안이 뿌옇게 흐려지는 것은 안개가 생기는 현상과 비슷합니다.

5 페트병 안 온도가 낮아지고 뿌옇게 흐려지며, 수증기가 응결합니다.

6 구름은 공기 중 수증기가 응결해 물방울이 되거나 얼음 알갱이 상태로 하늘에 떠 있는 것입니다.

인정 답안
수증기가 응결했다는 표현과 물방울이나 얼음 알갱이 상태로 떠 있다는 표현이 있으면 정답으로 인정합니다.

인정 답안의 예
- 수증기가 응결해 작은 물방울이 하늘에 떠 있는 것
- 수증기가 응결해 작은 얼음 알갱이가 하늘에 떠 있는 것 등

7 기압 차로 공기가 이동하는 것을 바람이라고 합니다.

8 모래의 온도 변화가 물의 온도 변화보다 큽니다.

9 낮에는 지면이 수면보다 빠르게 데워지고, 밤에는 지면이 수면보다 빠르게 식습니다.

10 밤에는 바닷가에서 육지에서 바다로 바람이 붑니다.

11 육지에서 바다로 부는 바람을 육풍이라고 합니다.

12 여름에는 남동쪽의 바다에서 이동해 오는 공기 덩어리의 영향으로 덥고 습하고, 겨울에는 북서쪽의 대륙에서 이동해 오는 공기 덩어리의 영향으로 춥고 건조합니다.

13 맑고 따뜻한 날에는 간편한 옷차림, 춥고 눈이 내리는 날에는 두꺼운 옷을 입습니다.

14 ❶은 해풍, ❷는 저기압, ❸은 육풍, ❹는 공기, ❺는 알갱이, ❻은 이슬입니다.

2주 | TEST+특강

84~85쪽 누구나 100점 TEST

1 ④ **2** 90 **3** 응결 **4** ③
5 ④ **6** (1) 바다 (2) 육지 (3) 태양 **7** ⑤
8 ㉢ **9** (1) ㉠ (2) ㉡ **10** ④

풀이

1 공기 중에 수증기가 포함된 정도를 습도라고 합니다.

2 건구 온도가 15 ℃, 건구 온도와 습구 온도의 차가 1 ℃이므로, 습도는 90 %입니다.

3 이슬과 안개는 응결에 의해 나타나는 현상입니다.

4 페트병 안에서 나타나는 현상과 비슷한 자연 현상은 구름이 만들어지는 현상입니다.

5 상대적으로 공기가 더 무거운 것은 고기압입니다.

6 모래와 물의 온도를 측정하는 실험에서 모래는 육지, 물은 바다, 전등은 태양을 나타냅니다.

7 밤에는 지면의 온도가 수면의 온도보다 낮습니다.

왜 틀렸을까?

① 수면은 지면보다 천천히 식습니다.
② 지면과 수면의 온도 변화는 다릅니다.
③ 지면은 수면보다 빨리 데워집니다.
④ 낮에는 수면의 온도가 지면의 온도보다 낮습니다.

8 우리나라의 봄, 가을에 영향을 미치는 공기 덩어리는 남서쪽 대륙에서 이동해 오는 따뜻하고 건조한 공기 덩어리입니다.

9 춥고 눈이 내리는 날에는 두꺼운 옷을 입고 실내 활동을 주로 하고, 황사나 미세먼지가 많은 날에는 야외 활동을 자제하고 외출할 때는 마스크를 착용합니다.

10 기상 조건에 따른 감기 발생 가능 정도를 단계별로 나타낸 것을 감기 가능 지수라고 합니다.

87쪽 생활 속 과학 융합

❶
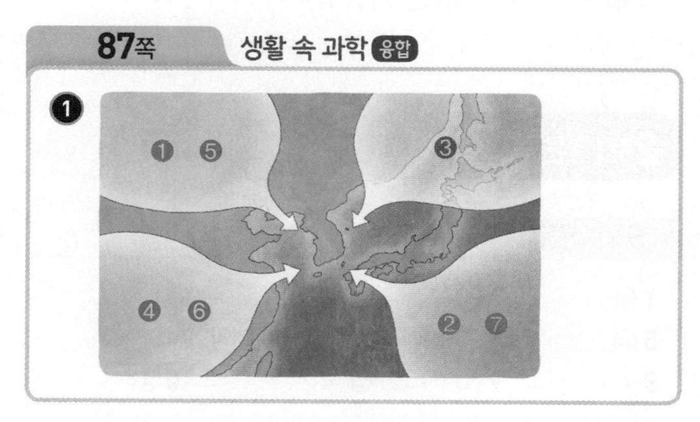

풀이

❶ 우리나라는 겨울에는 북서쪽 대륙에서 이동해 오는 공기 덩어리, 여름에는 남동쪽 바다에서 이동해 오는 공기 덩어리, 봄, 가을에는 남서쪽 대륙에서 이동해 오는 공기 덩어리의 영향을 받습니다.

88~89쪽 사고 쑥쑥 창의

❷
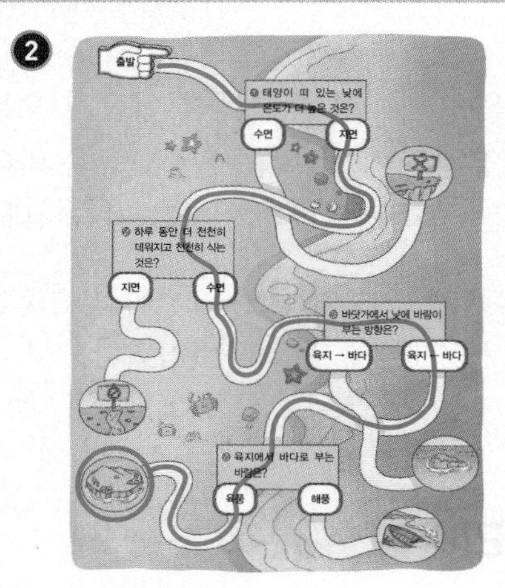

❸
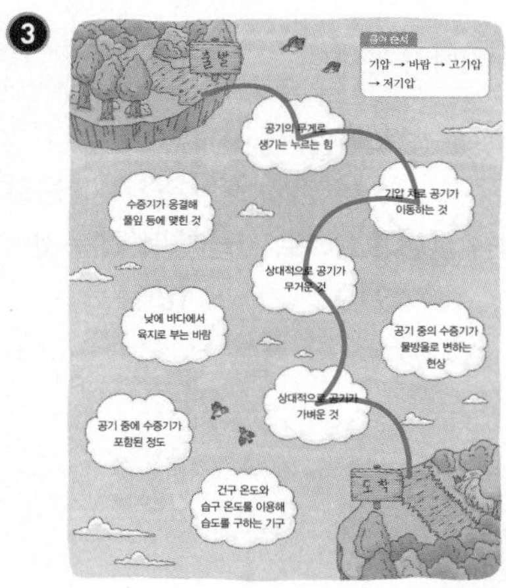

풀이

❷ 바다에서 육지로 부는 바람을 해풍, 육지에서 바다로 부는 바람을 육풍이라고 합니다.

❸ 상대적으로 공기가 무거운 것은 고기압, 상대적으로 공기가 가벼운 것은 저기압입니다.

90~91쪽 논리 탄탄 코딩

❹ 문 4
❺ ❶ 비, 눈 ❷ 안개 ❸ 이슬

풀이

❹ 안개는 지표면 근처에서 생깁니다. 낮에는 지면이 수면보다 빨리 데워집니다.

❺ 구름에서 떨어지는 것은 비나 눈입니다. 안개는 수증기가 응결해 작은 물방울로 떠 있는 것입니다.

3주 물체의 운동

1일 물체의 운동

99쪽 개념 체크

1 운동　2 빠르　3 자동길

100~101쪽 개념 확인하기

1 ②　2 (1) ○ (2) × (3) ○　3 (1) ㉡ (2) ㉠
4 ①　5 빨라지고, 느려지는

똑똑한 하루 퀴즈

6

손	일	정	☆
자	변	하	는
☆	동	늘	크
위	☆	계	기
치	시	간	단

① 위치
② 시간
③ 변하는
④ 자동계단

풀이

1 자전거는 시간이 지남에 따라 위치가 변하므로 운동하는 물체입니다. 건물, 도로 표지판, 나무는 시간이 지남에 따라 위치가 변하지 않으므로 운동하지 않는 물체입니다.

2 시간이 지남에 따라 물체의 위치가 변할 때 물체가 운동한다고 합니다.

3 로켓은 달팽이보다 빠르게 운동하고 달팽이는 로켓보다 느리게 운동합니다.

4 축구공, 비행기는 빠르기가 변하는 운동을 하는 물체이고, 케이블카, 스키장 승강기는 빠르기가 일정한 운동을 하는 물체입니다.

5 롤러코스터는 아래로 내려올 때에는 점점 빨라지다가 위로 올라갈 때에는 점점 느려지는 운동을 합니다.

6 ①은 위치, ②는 시간, ③은 변하는, ④는 자동계단입니다.

2일 일정한 거리를 이동한 물체의 빠르기

105쪽 개념 체크

1 결승　2 빠릅　3 조정

106~107쪽 개념 확인하기

1 경희　2 ㉢　3 ③　4 박태호

집중 연습 문제

5 ㉡　6 ③　예 오랜

풀이

1 가장 짧은 시간이 걸린 경희가 가장 빠릅니다.

2 결승선까지 이동하는 데 가장 짧은 시간이 걸린 친구가 가장 빠릅니다.

3 일정한 거리를 이동한 물체의 빠르기는 물체가 이동하는 데 걸린 시간으로 비교합니다. 일정한 거리를 이동하는 데 짧은 시간이 걸린 물체가 긴 시간이 걸린 물체보다 더 빠릅니다.

4 100 m 달리기에서 결승선까지 이동하는 데 걸린 시간이 가장 짧은 친구가 경기에서 1위를 하게 됩니다.

5 체조는 맨몸이나 일정한 기구를 사용하여 동작의 정확함이나 아름다움, 기술의 난이도 등을 겨루는 경기입니다.

6 출발선에서 동시에 출발해 결승선까지 이동하는 데 가장 오랜 시간이 걸린 선수가 가장 느립니다.

3일 일정한 시간 동안 이동한 물체의 빠르기

111쪽 개념 체크

1 빠릅　2 거리　3 자동차

112~113쪽 개념 확인하기

1 ㈐ 2 ㉠ 3 긴, 짧은
4 ㉠ 기차 ㉡ 자전거 5 ④

똑똑한 하루 퀴즈

6

	자	느	림
빠	석	위	치
기	르		거
차		기	리
도	착	술	

❶ 거리 ❷ 빠르기 ❸ 느림

풀이

1 4초 동안 가장 긴 거리를 이동한 ㈐ 자동차가 가장 빠릅니다.

2 일정한 시간 동안 이동한 물체의 빠르기는 물체가 이동한 거리로 비교합니다.

3 일정한 시간 동안 긴 거리를 이동한 물체가 더 빠릅니다.

4 3시간 동안 가장 긴 거리를 이동한 기차가 가장 빠르고, 가장 짧은 거리를 이동한 자전거가 가장 느립니다.

5 3시간 동안 200 km보다 더 짧은 거리를 이동한 교통수단이 고속버스보다 더 느립니다.

6 ❶ 은 거리, ❷ 는 빠르기, ❸ 은 느림입니다.

4일 물체의 속력

117쪽 개념 체크

1 80 2 m/s 3 속력

118~119쪽 개념 확인하기

1 ㉠ 2 ④ 3 (1) ㉡ (2) ㉠ 4 지우

집중 연습 문제

5 ㉡ 6 ④, ⑤

풀이

1 속력이 큰 물체가 더 빠릅니다.

2 ① 배의 속력은 40 km/h, ② 제비의 속력은 50 km/h, ③ 자전거의 속력은 18 km/h, ④ 야구공의 속력은 150 km/h, ⑤ 자동차의 속력은 80 km/h 입니다.

3 • 17 km/h : '십칠 킬로미터 퍼 아워' 또는 '시속 십칠 킬로미터'라고 읽습니다.
• 17 m/s : '십칠 미터 퍼 세컨드' 또는 '초속 십칠 미터'라고 읽습니다.

4 버스가 정류장에 도착할 때까지 인도에서 기다리고, 초록색 신호등이 켜지고 조금 지난 뒤에 횡단보도를 건넙니다.

5 안전띠는 긴급한 상황에서 탑승자의 몸을 고정합니다.

6 도로에 설치된 안전장치에는 과속 방지 턱, 어린이 보호 구역 표지판 등이 있고, 자동차에 설치된 안전장치에는 안전띠, 에어백 등이 있습니다.

5일 3주 마무리하기

122~125쪽 마무리하기 문제

1 ③ 2 ㉠ 3 (1) ㉠ (2) ㉡
4 강하늘 5 예 가장 짧은 시간이 걸린 선수가 가장 빠르다 6 ㉠ 7 ②, ⑤ 8 기차
9 ② 10 ③ 11 ㉢

똑똑한 하루 퀴즈

12

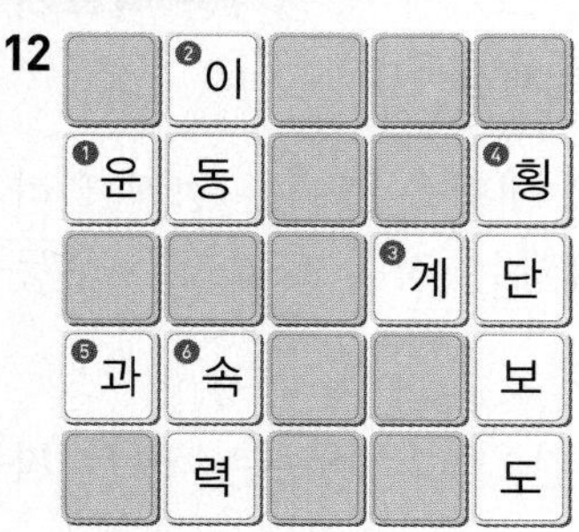

풀이

1 남자아이, 나무, 신호등, 도로 표지판은 운동하지 않은 물체입니다. 자전거, 자동차, 할머니는 시간이 지남에 따라 위치가 변하므로 운동하는 물체입니다.

2 ㉠은 빨라지거나 느려지는 운동을 하고, ㉡은 빠르기가 변하지 않는 운동을 합니다.

3 자동계단은 일정한 빠르기로 운동을 하고, 롤러코스터는 각 구간에 따라 점점 빨라지거나 점점 느려지는 운동을 합니다.

4 일정한 거리를 이동하는 데 걸린 시간이 짧을수록 더 빠릅니다.

5 출발선에서 동시에 출발해 결승선까지 이동하는 데 가장 짧은 시간이 걸린 선수가 가장 빠릅니다.

인정 답안

'걸린 시간이 짧을수록 빠른 선수'라는 내용이나 의미가 비슷한 내용이 있어야 정답으로 인정합니다.

인정 답안의 예

- 가장 짧은 시간이 걸린 선수로 정한다.
- 걸린 시간이 가장 짧은 선수가 가장 빠르다. 등

6 100 m 달리기, 조정, 수영 등은 일정한 거리를 이동하는 데 걸린 시간을 측정해 빠르기를 비교합니다.

7 일정한 시간 동안 이동한 물체의 빠르기는 물체가 이동한 거리로 비교할 수 있습니다.

8 3시간 동안 240 km를 이동한 자동차보다 더 먼 거리를 이동한 기차의 속력이 더 빠릅니다.

9 • (배의 속력) = (이동 거리) ÷ (걸린 시간)
= 160 km ÷ 4 h = 40 km/h
• (자동차의 속력) = (이동 거리) ÷ (걸린 시간)
= 240 km ÷ 3 h = 80 km/h

10 속력과 관련된 안전장치에는 자동차에 설치된 안전띠와 에어백, 도로에 설치된 과속 방지 턱과 어린이 보호 구역 표지판 등이 있습니다.

11 도로에 차가 없어도 무단횡단을 하지 않고, 초록색 신호등이 켜지고 조금 지난 뒤에 횡단보도를 건넙니다.

12 ❶은 운동, ❷는 이동, ❸은 계단, ❹는 횡단보도, ❺는 과속, ❻은 속력입니다.

3주 | TEST + 특강

126~127쪽 누구나 100점 TEST

1 ④	2 자동길, 케이블카	3 ③	4 혜솔
5 ㉠ ㈏ ㉡ ㉮ 긴	6 (2)에 ○표	7 2	8 ⑤
9 (1) ㉡ (2) ㉠ (3) ㉢		10 ㉡	

풀이

1 물체의 운동은 물체가 이동하는 데 걸린 시간과 이동 거리로 나타냅니다.

2 축구공과 롤러코스터는 빠르기가 변하는 운동을 하는 물체입니다.

3 일정한 거리를 이동하는 데 걸린 시간을 측정해 빠르기를 비교합니다.

4 두 운동 경기 모두 일정한 거리를 이동하는 데 걸린 시간을 측정해 빠르기를 비교합니다.

5 일정한 시간 동안 긴 거리를 이동한 물체가 짧은 거리를 이동한 물체보다 더 빠릅니다.

6 일정한 시간 동안 가장 긴 거리를 이동한 기차가 가장 빠릅니다.

7 빈우의 속력 = 90 m ÷ 45 s = 2 m/s

8 속력은 ① 120 km/h, ② 240 km/h, ③ 2 km/h, ④ 140 km/h, ⑤ 250 km/h로, 속력이 가장 큰 ⑤가 가장 빠릅니다.

9 안전띠는 자동차 탑승자의 생명을 지키는 안전장치이고, 과속 방지 턱은 자동차의 주행 속력을 줄이려고 도로에 설치된 안전장치입니다. 에어백은 충돌 사고에서 탑승자의 몸에 가해지는 충격을 줄여줍니다.

10 횡단보도를 건널 때에는 도로 좌우를 살핍니다. 버스는 인도에서 기다리고, 도로 주변에서는 공놀이를 하지 않습니다.

129쪽 생활 속 과학 융합

❶

130~131쪽 사고 쑥쑥 창의

❷ 빨간색 자동차

❸ 이동한 거리

풀이

❷ ❶ 운동 ❷ 걸린 시간 ❸ 속력 ❹ 2 m/s

❸ 일정한 시간 동안 이동한 물체의 빠르기는 물체가 이동한 거리로 비교합니다. 이때 일정한 시간 동안 이동한 거리가 길수록 빠르기가 더 빠릅니다.

132~133쪽 논리 탄탄 코딩

❹ (라)

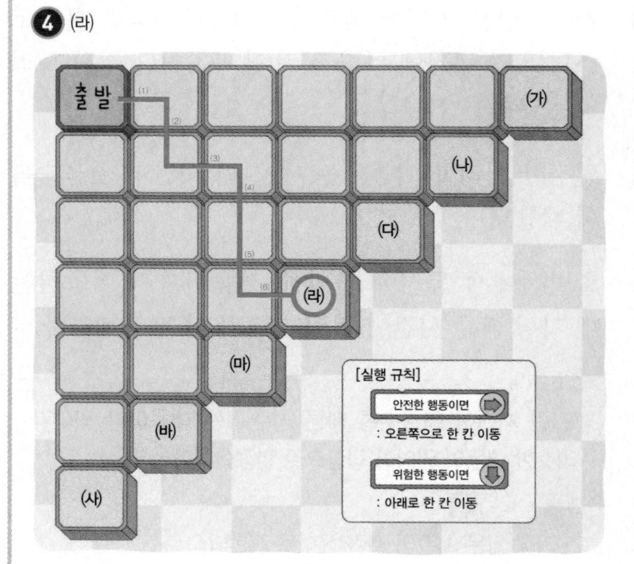

❺ 안전

풀이

❹ (1), (3), (6)은 안전한 행동이고 (2), (4), (5)는 위험한 행동입니다.

(2) 도로에 차가 없어도 무단횡단을 하지 않습니다.

(4) 버스가 정류장에 도착할 때까지 인도에서 기다립니다.

(5) 도로 주변에서 공놀이를 하지 않습니다.

❺ 4+2+4+2+2+4=18, 1과 8에 해당하는 글자를 순서대로 조합하면 '안전'입니다.

4주 산과 염기

1일 여러 가지 용액 분류하기

141쪽 개념 체크

1 푸른　2 기준　3 불투명

142~143쪽 개념 확인하기

1 빨랫비누 물　2 (1) ㉠ (2) ㉡
3 ㉡　4 ①　5 유리 세정제

똑똑한 하루 퀴즈

6
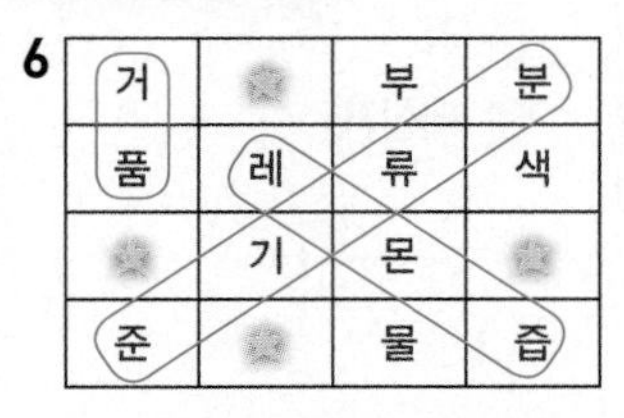

❶ 레몬즙 ❷ 거품 ❸ 분류 기준

풀이

1 빨랫비누 물은 하얀색의 불투명한 용액으로 흔들었을 때 거품이 3초 이상 유지됩니다.

2 무색투명하고, 흔들면 거품이 3초 이상 유지되지 않는 것은 묽은 염산이고, 연한 푸른색이고 투명하며, 흔들면 거품이 3초 이상 유지되는 것은 유리 세정제입니다.

3 레몬즙은 연한 노란색의 불투명한 용액으로, 흔들면 거품이 3초 이상 유지되지 않습니다.

4 식초, 유리 세정제, 사이다, 석회수, 묽은 염산, 묽은 수산화 나트륨 용액은 투명한 용액이고, 나머지는 불투명한 용액입니다.

5 유리 세정제는 흔들었을 때 거품이 3초 이상 유지됩니다.

6 ❶ 연한 노란색이고 불투명하며, 냄새가 나는 용액은 레몬즙입니다.
❷ 빨랫비누 물은 흔들었을 때 거품이 유지됩니다.
❸ 여러 가지 용액의 성질을 관찰한 뒤 분류 기준을 세워 용액을 분류합니다.

2일 지시약

147쪽 개념 체크

1 지시약　2 붉은색　3 붉은색

148~149쪽 개념 확인하기

1 지시약　2 (3) ×　3 ②　4 석회수
5 (1) ㉡ (2) ㉠

집중 연습 문제

6 ㉡
- 붉은색 리트머스 종이 ➡ 변화 없음.
- 페놀프탈레인 용액 ➡ 변화 없음.
- 자주색 양배추 지시약 ➡ 붉은색 계열

7 염기성

풀이

1 지시약으로 산성 용액과 염기성 용액을 구별할 수 있습니다.

2 페놀프탈레인 용액은 지시약이고, 자주색 양배추도 지시약으로 이용할 수 있습니다. 리트머스 종이는 푸른색과 붉은색이 있습니다.

3 푸른색 리트머스 종이에 대었을 때 붉은색으로 변하는 것은 산성 용액인 레몬즙입니다.

4 페놀프탈레인 용액을 떨어뜨렸을 때 붉은색으로 변하는 것은 염기성 용액인 석회수입니다.

5 자주색 양배추 지시약은 산성 용액에서 붉은색 계열, 염기성 용액에서 푸른색이나 노란색 계열의 색깔로 변합니다.

6 산성 용액에 페놀프탈레인 용액을 떨어뜨리면 색깔이 변하지 않습니다.

왜 틀렸을까?
㉠ 유리 세정제, 석회수 등은 염기성 용액입니다.
㉢ 산성 용액에서는 붉은색 리트머스 종이의 색깔이 변하지 않습니다.

7 자주색 양배추 지시약은 염기성 용액에서 푸른색이나 노란색 계열의 색깔로 변합니다.

3일 산성 용액과 염기성 용액의 성질

153쪽 개념 체크

1 기포　2 염기성　3 대리석

154~155쪽 개념 확인하기

1 (1) ㉠ (2) ㉡　2 ㉡, ㉢　3 묽은 수산화 나트륨 용액
4 (1) ○　5 ㉠ 대리석 ㉡ 산성

집중 연습 문제

6 (1) ㉠, ㉣ (2) ㉡, ㉢ (3) 산성 용액

- 묽은 염산 ➡ 산성 용액
- 묽은 수산화 나트륨 용액 ➡ 염기성 용액

풀이

1 달걀 껍데기를 묽은 염산에 넣으면 기포가 발생하며 녹고, 삶은 달걀 흰자를 묽은 수산화 나트륨 용액에 넣으면 흐물흐물해지면서 뿌옇게 흐려집니다.

2 대리석과 달걀 껍데기는 묽은 염산과 같은 산성 용액에 녹습니다.

3 묽은 수산화 나트륨 용액과 같은 염기성 용액에 두부를 넣으면 흐물흐물해지면서 녹습니다.

4 산성 용액에 달걀 껍데기를 넣으면 기포가 발생하면서 녹습니다.

왜 틀렸을까?
(2) 산성 용액에 대리석 조각을 넣으면 기포가 생기면서 대리석 조각이 녹습니다.
(3) 산성 용액에 삶은 달걀 흰자를 넣으면 아무런 변화가 없습니다.

5 대리석은 산성 물질에 녹습니다.

6 (1) 달걀 껍데기와 대리석 조각을 묽은 염산에 넣으면 기포가 발생하면서 녹습니다.
(2) 두부와 삶은 달걀 흰자는 묽은 수산화 나트륨 용액과 같은 염기성 용액에 녹아 흐물흐물해집니다.
(3) 대리석 조각은 묽은 염산과 같은 산성 용액에서 녹습니다.

4일 산성 용액과 염기성 용액의 이용

159쪽 개념 체크

1 염기성　2 붉은　3 산성

160~161쪽 개념 확인하기

1 ㉢　2 ㉠ 노란색 ㉡ 붉은색　3 약
4 ③　5 (1) ㉡ (2) ㉠　6 식초

똑똑한 하루 퀴즈

7

강		염	
	산	기	제
약	식	성	산
초	표	백	제

❶ 산성
❷ 약
❸ 제산제

풀이

1 산성 용액에 염기성 용액을 넣을수록 점차 붉은색 계열의 색깔에서 푸른색 계열의 색깔로 변합니다.

2 염기성 용액에 산성 용액을 넣을수록 점차 붉은색 계열의 색깔로 변합니다.

3 염기성 용액에 산성 용액을 넣을수록 염기성의 성질이 약해집니다.

4 붉은색 리트머스 종이가 푸른색으로 변한 것으로 보아 물에 녹인 치약은 염기성 용액입니다. 석회수는 염기성 용액입니다.

왜 틀렸을까?
식초, 레몬즙, 사이다, 요구르트는 산성 용액이므로, 붉은색 리트머스 종이에 떨어뜨리면 색깔이 변하지 않습니다.

5 제산제는 염기성 용액, 변기용 세제는 산성 용액을 이용한 것입니다.

6 생선을 손질한 도마를 닦을 때 식초를 사용합니다.

7 ❶ 산성 용액에 염기성 용액을 넣을수록 산성이 점점 약해집니다.
❷ 염기성 용액에 산성 용액을 넣을수록 염기성이 점점 약해집니다.
❸ 속이 쓰릴 때 먹는 제산제는 염기성 용액입니다.

5일 4주 마무리하기

164~167쪽 마무리하기 문제

1 ㉠ 2 ② 3 ㉡ 4 ④, ⑤
5 ㉡, 예 자주색 양배추 지시약은 염기성 용액에서 푸른색이나 노란색 계열의 색깔로 변하기 때문이다. 6 묽은 염산
7 ㉡ 8 (3) ○ 9 ㉡ 10 산성
11 ㉠

똑똑한 하루 퀴즈

12

❶❷염	기	성			
산			❸소	❹석	회
				회	
❺제	❻산	제		수	
	성				

풀이

1 석회수는 흔들었을 때 거품이 3초 이상 유지되지 않습니다.

2 식초, 레몬즙, 유리 세정제, 빨랫비누 물은 색깔이 있는 용액이고, 나머지는 그렇지 않습니다.

3 푸른색 리트머스 종이에 사이다를 떨어뜨리면 붉은색으로 변합니다.

4 페놀프탈레인 용액이 붉은색으로 변하는 것은 염기성 용액입니다. 빨랫비누 물과 묽은 수산화 나트륨 용액은 염기성 용액이고, 나머지는 모두 산성 용액입니다.

5 용액의 색깔이 붉은색 계열의 색깔로 변한 ㉠은 산성 용액이고, 푸른색 계열의 색깔로 변한 ㉡은 염기성 용액입니다.

인정 답안

㉡을 쓰고, 자주색 양배추 지시약의 색깔 변화를 옳게 썼으면 정답으로 인정합니다.

인정 답안의 예

- ㉡, 염기성 용액에 자주색 양배추 지시약을 떨어뜨리면 푸른색이나 노란색 계열의 색깔로 변한다.
- ㉡, 자주색 양배추 지시약을 떨어뜨렸을 때 붉은색 계열의 색깔로 변하는 것은 염기성 용액이 아니다. 등

6 대리석 조각은 묽은 염산과 같은 산성 용액에서 기포가 생기면서 녹습니다.

7 묽은 수산화 나트륨 용액과 같은 염기성 용액에 삶은 달걀 흰자를 넣으면 녹아서 흐물흐물해집니다.

8 산성 용액에 삶은 달걀 흰자나 두부를 넣으면 아무런 변화가 일어나지 않고, 달걀 껍데기를 넣으면 기포가 생기면서 녹습니다.

9 염기성 용액에 산성 용액을 넣을수록 염기성이 점점 약해집니다.

10 푸른색 리트머스 종이를 붉은색으로 변화시키는 것은 산성 용액입니다.

11 제산제는 염기성 용액을 이용하는 것이고, 변기용 세제와 식초는 산성 용액을 이용하는 것입니다.

12 ❶은 염기성, ❷는 염산, ❸은 소석회, ❹는 석회수, ❺는 제산제, ❻은 산성입니다.

4주 | TEST+특강

168~169쪽 누구나 100점 TEST

1 ② 2 ⑤ 3 유정 4 ⑤
5 ㉡ 6 ㉡ 7 산성 8 ㉢
9 예 아무런 변화가 없다. 10 ①

풀이

1 레몬즙에 대한 설명입니다.

2 유리 세정제와 빨랫비누 물은 흔들었을 때 거품이 3초 이상 유지되지만 나머지는 그렇지 않습니다.

3 식초는 산성 용액으로, 페놀프탈레인 용액을 식초에 떨어뜨리면 색깔이 변하지 않습니다.

4 자주색 양배추 지시약은 염기성 용액에서 푸른색이나 노란색 계열의 색깔로 변합니다.

5 페놀프탈레인 용액은 염기성 용액에서 붉은색으로 변합니다.

6 묽은 수산화 나트륨 용액에 두부를 넣으면 두부가 흐물흐물해지면서 녹습니다.

7 산성비와 같은 산성 물질에 대리석이 녹기 때문에 대리석으로 만들어진 석탑에 유리 보호 장치를 한 것입니다.

8 묽은 수산화 나트륨 용액에 묽은 염산을 많이 넣을수록 자주색 양배추 지시약의 색깔이 푸른색 계열의 색깔에서 붉은색 계열의 색깔로 변합니다.

9 푸른색 리트머스 종이가 붉은색으로 변한 것으로 보아 요구르트는 산성 용액입니다. 산성 용액에 페놀프탈레인 용액을 떨어뜨리면 아무런 변화가 없습니다.

10 식초와 변기용 세제는 산성 용액을 이용한 예이고, 제산제와 표백제는 염기성 용액을 이용한 예입니다.

171쪽 생활 속 과학 융합

❶ 변기용 세제

풀이

❶ 변기를 청소할 때 쓰는 변기용 세제는 산성 용액이고, 치약, 하수구 세정제, 제산제는 염기성 용액입니다.

172~173쪽 사고 쑥쑥 창의

❷ ❶ 염기성 ❷ 붉은색 ❸ 빨랫비누 물

❸

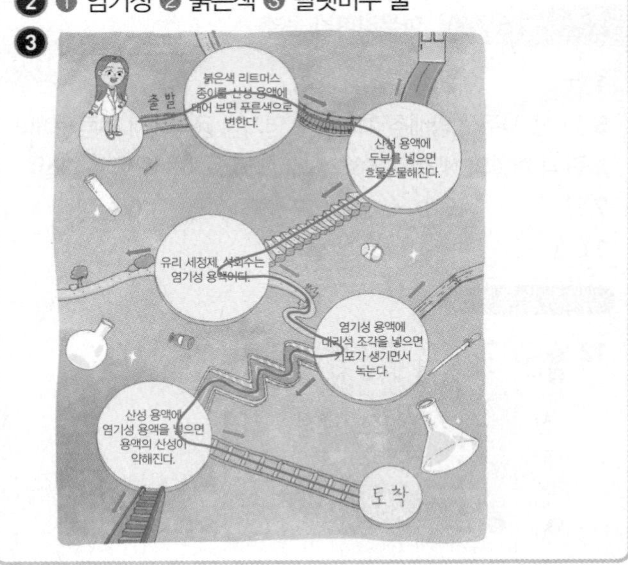

풀이

❷ 페놀프탈레인 용액은 빨랫비누 물과 같은 염기성 용액에서 붉은색으로 변합니다.

❸ 산성 용액에서는 붉은색 리트머스 종이의 색깔이 변하지 않습니다. 산성 용액에 두부를 넣으면 녹지 않고, 염기성 용액에 대리석 조각을 넣으면 녹지 않습니다.

174~175쪽 논리 탄탄 코딩

❹ 고양이

❺ 붉은색, 분홍색, 보라색, 청록색

풀이

❹ 푸른색 리트머스 종이에 식초를 대어 보면 붉은색으로 변하고, 페놀프탈레인 용액을 빨랫비눗 물에 떨어뜨리면 붉은색으로 변하며, 자주색 양배추 지시약을 유리 세정제에 떨어뜨리면 푸른색 계열의 색깔로 변합니다. 묽은 염산에 두부를 넣으면 녹지 않고, 묽은 수산화 나트륨 용액에 달걀 껍데기를 넣으면 아무런 변화가 없습니다.

❺ 묽은 염산에 묽은 수산화 나트륨 용액을 많이 넣을수록 자주색 양배추 지시약의 색깔이 붉은색이었다가 분홍색, 보라색을 거쳐 점차 청록색으로 변합니다.

정답은
이안에
있어!